Grandes Autores
Bolsillo

MW00412180
3 9876 00349 4232

Spanish 3/31/98

Doyle, Arthur Conan, 1859-
1930.

Tres aventuras de Sherlock
Holmes c1994

1-02 2
3✓ 1/06

FEB 12 2013

DISCARD

Sir Arthur Conan Doyle

Tres aventuras de Sherlock Holmes

Traducción de Enrique Ortenbach
Ilustraciones de Javier Aceytuno

Editorial Lumen

Grandes Autores
Bolsillo
9

Diseño: Ferran Cartes

Publicado por Editorial Lumen, S.A.,
Ramon Miquel i Planas, 10 - 08034 Barcelona.

© De las ilustraciones, Javier Aceytuno, 1994

Impreso en Libergraf, S.L.,
Constitución, 19 - 08014 Barcelona.

Depósito Legal: B-36.780-1993
I.S.B.N.: 84-264-3409-6
Printed in Spain

3/31/98

A mi viejo profesor
Joseph Bell Md
del 2 Melville Crescent Edinburgh.

Prólogo

Sherlock Holmes sigue gozando hoy, en parte gracias al cine y a la televisión, de una popularidad semejante a la que gozó cuando sus aventuras se publicaban en el londinense Strand Magazine, *a finales del siglo* XIX *y principios del* XX.

La clave de esta popularidad se basa en dos aspectos: la personalidad del mundialmente célebre detective privado y su renovador método de investigación.

La personalidad se centra en un temperamento frío, incluso en sus demostraciones de afecto, analítico, conciso, amante de la exactitud y, además, amigo del estudio —es autor de varias monografías—, de los estupefacientes —ante el aburrimiento que le produce la inactividad pensante forzosa, suele recurrir a la cocaína— y del difícil arte de tocar el violín, así como enemigo sistemático del mal.

En cuanto al método de investigación es muy sencillo: partir de los hechos, nunca de las conjeturas, observándolos y analizándolos en el mismo lugar en que se han producido, eliminar luego lo que se presenta como anecdótico y quedarse con lo sustancial y, por último, tal vez sin moverse de su sillón favorito y fumando pipa tras pipa, deducir *la verdad. Es, pues, un defensor de la ciencia de la deducción, que suprime toda posibilidad de azar.*

Holmes vive en el número 221 B de Baker Street, Londres, y aunque es un personaje de ficción, su veracidad es tanta que para muchos de sus admiradores existió realmente.

Junto a Sherlock encontramos siempre a un amigo inseparable: el Dr. Watson o, más exactamente, John H. Watson, con el que comparte durante un tiempo las habitaciones que ambos alquilan en aquella dirección a la Sra. Hudson, pero que, casado después, se convierte en compañero esporádico del detective, si bien sigue siendo su cronista sistemático.

Ambos personajes fueron creados por el escritor sir Arthur Conan Doyle, nacido en Edimburgo, en 1859, en el seno de una familia católica de origen irlandés, médico por la universidad de aquella ciudad y escritor por propia vocación. Sir Arthur Conan Doyle murió en Crowborough, Sussex, en 1930. Es de advertir que, a pesar de que Conan Doyle detestaba a Sherlock Holmes, tanto que llegó a «matarlo» en «El problema final», última de las aventuras que se incluyen en el volumen titulado Las memorias de Sherlock Holmes, *tuvo luego que «resucitarlo» para complacer a los lectores del* Strand Magazine. *Y precisamente a Sherlock y al Dr. Watson debe sir Arthur su fama, pues aunque cultivó otros géneros que el policíaco, como por ejemplo la novela histórica (*Micah Clarke, *1889), la novela de anticipación (*El mundo perdido, *1912;* El cinturón envenenado, *1913), obras de historia (*La gran guerra boer, *1900) y ensayos (*Historia del espiritualismo, *1926), hoy debe principalmente su fama a Sherlock Holmes y el Dr. Watson.*

Conan Doyle fue ennoblecido en 1902 y dedicó a Sherlock Holmes los siguientes títulos: Estudio en escarlata, *primera de las novelas en que aparece Sherlock, conoce a Watson y se instalan en Baker Street;* El signo de los cuatro; Las aventuras de Sherlock Holmes, *colección de doce narraciones breves, la primera de las cuales, «Un escándalo en Bohemia», fue la que inició la colaboración de Conan Doyle con el* Strand Magazine *y el origen de su popularidad;* Memorias de Sherlock Holmes, *que consta de once nuevas aventuras, en la última de las cuales, titulada «El problema final», Sherlock muere luchando cuerpo a cuerpo con el temible profesor Moriarty, despeñados ambos por un precipicio en los Alpes suizos;* El sabueso de los Baskerville, *cuya acción transcurre, lógicamente, antes de la muerte del detective, como ocurre también en* Sherlock Holmes sigue en pie *y* El archivo de Sherlock Holmes, *títulos estos dos últimos que corresponden a un sólo volumen en inglés;* La reaparición de Sherlock Holmes, *en la primera de cuyas trece aventuras reaparece vivo el supuestamente muerto Sherlock;* Su último saludo en el escenario *y, finalmente,* El valle del terror.

Una última observación: la técnica empleada por Holmes, basada como ya se ha dicho en la deducción, y fortalecida, todo hay que decir-

lo, por la intuición, ha sido de nuevo valorada, en la segunda mitad de este siglo XX, *por los cultivadores de la semiótica o ciencia de los signos, entre ellos por Umberto Eco.*

ENRIQUE ORTENBACH

Estrella de Plata

—Me temo, Watson, que tendré que ir —dijo Holmes, una mañana, cuando nos sentábamos a desayunar juntos.

—¡Ir! ¿Adónde?

—A Dartmoor..., a King's Pyland.

No me sorprendió. De hecho, lo único que me admiraba era que todavía no se hubiera mezclado en aquel caso extraordinario, que constituía el único tema de conversación a lo largo y a lo ancho de toda Inglaterra. Mi compañero se había pasado un día entero dando vueltas por el cuarto con la barbilla hundida contra el pecho y las cejas fruncidas, cargando una y otra vez su pipa con el tabaco negro más fuerte, y totalmente sordo a cualquiera de mis preguntas u observaciones. Las últimas ediciones de todos los periódicos nos habían sido enviadas por nuestro proveedor para apenas ser hojeadas y arrojadas a un rincón. Aunque permanecía callado, yo sabía perfectamente bien qué era lo que le obsesionaba. Sólo había un problema planteado públicamente que pudiera desafiar su capacidad de análisis, y ése era la singular desaparición del favorito de la Copa Wessex y el trágico asesinato de su entrenador. Por ello, cuando Holmes anunció su intención de acudir al teatro del crimen, sólo hizo lo que yo calculaba y a la vez esperaba que hiciera.

—Me sentiría muy dichoso yendo con usted, si no he de servirle de estorbo —dije yo.

—Mi querido Watson, me haría usted un gran favor viniendo conmigo. Y creo que no perderá usted el tiempo, porque en este caso se dan circunstancias que prometen convertirlo en absolutamente único. Tenemos, creo yo, el tiempo justo para coger nuestro tren en Paddington, y durante el viaje le informaré con más detalle. Me sentiré la mar de agradecido si lleva usted consigo sus magníficos gemelos de campaña.

Y así fue cómo, más o menos al cabo de una hora, me encontraba yo en el rincón de un vagón de primera clase, volando a toda velocidad, *en route* hacia Exeter, mientras Sherlock Holmes, con su anhelante y angulosa cara enmarcada por una gorra de viaje con orejeras, se sumergía rápidamente en el montón de periódicos recientes que se había procurado en Paddington. Antes de que arrojara el último bajo el asiento y me tendiera su cigarrera, ya habíamos dejado Reading muy atrás.

—Llevamos buena marcha —dijo, mirando por la ventanilla hacia afuera y echando una ojeada a su reloj—. Nuestra velocidad es en estos momentos de cincuenta y tres millas y media por hora.

—No me he fijado en los mojones indicadores de los cuartos de milla —dije yo.

—Yo tampoco. Pero en esta línea los postes del telégrafo están a sesenta yardas uno del otro, y el cálculo resulta sencillísimo. Supongo que habrá usted leído algo sobre el asesinato de John Straker y la desaparición de Estrella de Plata.

—He visto lo que dicen el *Telegraph* y el *Chronicle.*

—Es uno de esos casos en los que el arte de razonar ha de usarse más para examinar los detalles que para sacar conclusiones. La tragedia ha sido tan poco común, tan completa y de tal importancia para mucha gente, que somos víctimas de un cúmulo de suposiciones, conjeturas e hipótesis. La dificultad estriba en aislar de las florituras de los teóricos y de los reporteros el esqueleto de los hechos: los hechos concretos, indiscutibles. Entonces, instalados en esta sólida base, nuestro deber consistirá en ver qué deducciones pueden sacarse y cuáles son aquellos puntos particulares sobre los que gira todo el misterio. El martes por la tarde recibí sendos telegramas del coronel Ross, propietario del caballo, y del inspector Gregory, que investiga el caso, invitándome a colaborar.

—¡El martes por la tarde! —exclamé yo—. ¡Y hoy es jueves por la mañana! ¿Por qué no se fue usted ayer?

—Porque, mi querido Watson, cometí un error... cosa que, me temo, me sucede con mayor frecuencia de lo que pueda suponer cualquiera que sólo me conozca a través de sus memorias. El hecho es que me resultaba imposible creer que el caballo más conocido de Inglaterra pudiera permanecer escondido mucho tiempo, sobre todo en una región tan escasamente habitada como el norte de Dartmoor. Ayer estuve hora tras hora esperando enterarme de que lo habían encontrado y de que su secuestrador era el asesino de John Straker. Sin embargo, esta mañana me he encontrado con que, aparte de la detención del joven Fitzroy Simpson, no se había hecho nada, y he comprendido que me había llegado el momento de entrar en acción. A pesar de todo, tengo la sensación de que, en cierto modo, el día de ayer no es un día perdido.

—¿Ya se ha formado usted su teoría, pues?

—Al menos tengo en el puño los hechos esenciales del caso. Se los voy a enumerar, porque nada ayuda tanto a clarificar un caso como exponérselo a otra persona, y mal puedo esperar su colaboración si no le explico cuál es nuestra posición de partida.

Me eché hacia atrás, contra los cojines, dando chupadas a mi cigarro, mientras Holmes, inclinado hacia adelante, marcando con su largo y delgado índice los puntos en la palma de la mano izquierda, me hacía un resumen de los acontecimientos que habían determinado nuestro viaje.

—Estrella de Plata —dijo— pertenece al linaje de Isonomy y posee un historial tan brillante como su famoso antepasado. Ahora tiene cinco años y, uno tras otro, ha ganado para el coronel Ross, su afortunado propietario, todos los premios. En el momento de la catástrofe, era el gran favorito de la Copa Wessex, y las apuestas estaban tres a uno. En cualquier caso, siempre ha sido el principal favorito del público, al que nunca ha decepcionado, por lo que se han apostado a favor suyo, y también contra él, fuertes sumas de dinero. Resulta pues probable que mucha gente tuviera el más vivo interés en evitar que Estrella de Plata se hallara presente el próximo martes al darse la salida.

»Desde luego este hecho era tenido en cuenta en King's Pyland, donde se halla el picadero del coronel. Para vigilar al favorito se tomaron toda clase de precauciones. El entrenador, John Straker, era un jockey retirado que, antes de que el exceso de peso le impidiera subir a la báscula, había corrido con los colores del coronel Ross. Sirvió al coronel como jockey durante cinco años y como entrenador durante siete, y siempre dio muestras de ser un servidor celoso y honrado. Por debajo de él había tres mozos, porque las instalaciones son de las pequeñas, y en total albergan cuatro caballos. Cada noche, uno de esos mozos montaba la guardia en la cuadra, mientras los otros dormían en el desván. Los tres gozaban de excelente reputación. John Straker, que estaba casado, vivía en una casita a unas doscientas yardas del picadero. No tenía niños, tenía una criada y un cierto bienestar. Las tierras de alrededor son muy solitarias, pero a eso de una media milla hacia el norte hay un pequeño grupo de chalés que fue construido por un contratista de Tavistock para uso de aquellos que, enfermos o no, desean beneficiarse del aire puro de Dartmoor. Tavistock mismo se alza a dos millas al oeste, y también a unas dos millas de distancia, pero atravesando el páramo, se encuentra el gran picadero de Capleton, perteneciente a lord Blackwater, regentado por Silas Brown. En todas las demás direcciones, el páramo se halla desierto, habitado tan sólo por unos pocos gitanos vagabundos. Esta era la situación general cuando, el pasado lunes por la noche, ocurrió la catástrofe.

»Aquella tarde los caballos fueron entrenados y abrevados como de costumbre y las cuadras se cerraron con llave a las nueve. Dos de los mozos se dirigieron caminando hacia la casa, donde cenarían en la cocina, mientras que el tercero, Ned Hunter, permanecía de guardia. Pocos minutos después de las nueve, la criada, Edith Baxter, llevó al picadero la cena de aquél, que consistía en un plato de cordero al curry. No le llevó nada para beber, porque en las cuadras hay agua corriente y porque era de rigor que el mozo de guardia no bebiera otra cosa. La criada llevaba consigo una linterna, pues estaba muy oscuro y el sendero atravesaba el dilatado páramo.

»Edith Baxter se hallaba a menos de treinta yardas de las cuadras cuando, surgiendo de la oscuridad, apareció un hombre que le dijo que se detuviera. Como él quedase dentro del círculo de luz amarillenta que despedía la linterna, ella vio que era persona de aspecto distinguido, que vestía un terno de lana gris y una gorra de paño. Calzaba polainas y llevaba un pesado bastón con empuñadura en forma de bola. Sin embargo, lo que más la impresionó fue la extraña palidez de su rostro y el nerviosismo de sus ademanes. Su edad, creía ella, estaría más por encima de los treinta que por debajo.

»—¿Podría usted decirme dónde estoy? —preguntó él—. Ya casi me había hecho a la idea de dormir en el páramo, cuando he visto la luz de su linterna.

»—Está usted cerca del picadero de King's Pyland.

»—¡Oh!, ¿de verdad? ¡Qué suerte! Tengo entendido que allí duerme un muchacho solo todas las noches. Tal vez es su cena lo que usted lleva. Estoy seguro de que no será tan desdeñosa que desprecie lo que vale un vestido nuevo, ¿no? —del bosillo del chaleco sacó un pedazo de papel blanco, doblado—. Vea usted el modo de que esto llegue esta noche a manos de ese mozo, y yo le regalaré el vestido más bonito que pueda comprarse con dinero.

»Se asustó ella de la severidad de sus maneras y, dejándolo atrás, corrió hacia la cuadra. Hunter se encontraba ya sentado ante la mesita que había dentro. Se disponía ella a contarle lo que le había sucedido, cuando el desconocido se acercó otra vez.

»—Buenas noches —dijo éste, mirando por la ventana—. Me gustaría hablar con usted unas palabras.

»La muchacha ha jurado que, mientras él hablaba, ella observó que una esquina del papelito plegado sobresalía de su mano cerrada.

»—¿Qué le trae a usted por aquí? —preguntó el mozo.

»—Un negocio que podría llenarle a usted el bolsillo. Tiene aquí dos caballos que figuran en la Copa Wessex... Estrella de Plata y Bayard. Proporcióneme alguna información y no se arrepentirá. ¿Es cierto que, a igualdad de peso, Bayard podría sacarle al otro cien yardas en la carrera de las mil y que la gente del picadero ha apostado por él?

»—¡De modo que es usted uno de esos malditos informadores! —exclamó el mozo—. Ya le enseñaré yo cómo los tratamos en King's Pyland.

»Se levantó de un salto y echó a correr por la cuadra para desatar al perro. La muchacha escapó volando hacia la casa, pero conforme corría iba mirando hacia atrás, y vio al desconocido inclinado sobre la ventana. Sin embargo, cuando un minuto después Hunter se precipitó afuera con el perro, aquél ya se había ido y aunque el mozo dio la vuelta corriendo a los edificios no logró hallar rastro alguno.

—¡Un momento! —salté yo—. Cuando el mozo salió con el perro, ¿no cerró tras de sí la puerta con llave?

—¡Excelente, Watson, excelente! —murmuró mi compañero—. La importancia de ese punto se me reveló con tal fuerza que ayer por la tarde puse un telegrama urgente a Dartmoor a fin de aclararlo. El mozo cerró la puerta con llave antes de alejarse. Y he de añadir que la ventana no era lo suficientemente ancha como para que pudiera pasar un hombre.

»Hunter aguardó hasta que regresaron sus compañeros, momento en el que envió un recado al entrenador diciéndole lo que había sucedido. Al oírlo, Straker se alarmó, aunque al parecer no se dio cuenta de su verdadero significado. Quedó algo intranquilo, y la señora Straker, al despertarse a la una de la madrugada, vio que estaba vistiéndose. En respuesta a sus preguntas, él dijo que no podía dormir, porque estaba inquieto por los caballos, y que se disponía a acercarse a las cuadras para ver si todo estaba en orden. Ella le suplicó que se quedara en casa, porque podía oír la lluvia tamborileando en las ventanas, pero, a despecho de sus súplicas, él se puso un amplio impermeable y abandonó la casa.

»La señora Straker se despertó a las siete de la mañana, para encontrarse con que su marido todavía no había vuelto. Se vistió precipitadamente, llamó a la criada y partieron hacia el picadero. La puerta estaba abierta; dentro, desmoronado en una silla, se hallaba Hunter sumido en un estado de sopor absoluto, el establo del caballo favorito estaba vacío y no había rastro alguno del entrenador.

»Los dos mozos que dormían en el altillo donde, encima del cuarto de los arreos, se guardaba la paja se despertaron rápidamente. No habían oído nada durante la noche, porque ambos tenían el sueño profundo. Hunter estaba evidentemente bajo los efectos de una poderosa droga. Y, como no se le podía sacar nada que tuviera sentido, lo dejaron dormir, mientras los otros dos mozos y las dos mujeres corrían afuera en busca de los desaparecidos. Todavía les quedaba la esperanza de que, por alguna razón, el entrenador hubiera sacado al caballo para algunos ejercicios matinales, pero al subir a una loma próxima a la casa, desde la que se divisaban todos los brezales vecinos, no sólo no lograron descubrir rastros del caballo, sino que distinguieron algo que les advirtió se hallaban en presencia de una tragedia.

»A eso de un cuarto de milla de las cuadras, el impermeable de John Straker ondeaba sobre una mata de aulagas. Inmediatamente detrás, el páramo formaba como una hondonada y en el fondo de ésta fue encontrado sin vida el cuerpo del desdichado entrenador. Su cabeza había sido destrozada por el golpe brutal de algún arma pesada y presentaba herido el muslo, en el que se veía un corte alargado y limpio, infligido evidentemente por un instrumento muy cortante. Era obvio, sin embargo, que Straker se había defendido con energía de sus asaltantes, porque en su mano derecha sostenía un cuchillo, manchado de sangre hasta la empuñadura, mientras con la izquierda asía un pañuelo de seda roja y negra, el cual fue reconocido por la criada como el que llevaba la noche anterior alrededor del cuello el desconocido que había visitado las cuadras.

»Hunter, al salir de su sopor, también se mostró positivamente seguro respecto al propietario del pañuelo. Además se mostró igualmente seguro de que el mismo desconocido, mientras estuvo asomado a la ventana, había drogado su cordero al curry y así había privado al picadero de su guarda.

»Respecto al caballo desaparecido, en el barro del fondo de la hondonada fatal había pruebas abundantes de que permaneció allí durante toda la pelea. Pero desde aquella mañana anda desaparecido. Y, aunque se ha ofrecido una importante recompensa y todos los gitanos de Dartmoor están sobre aviso, no se han tenido noticias de él. Por último, un análisis ha demostrado que los restos de la cena dejados por el mozo de cuadra contenían una respetable cantidad de opio en polvo, mientras que los demás habitantes de la casa compartieron el mismo guiso, la misma noche, sin sufrir efectos nocivos de ninguna especie.

El impermeable ondeaba sobre una mata de aulagas.

—Estos son los hechos principales del caso, despojados de toda conjetura y expuestos de la peor manera posible. Ahora resumiré lo que la policía lleva hecho al respecto.

»El inspector Gregory, a quien ha sido encomendado el caso, es un policía muy competente. Si poseyera una inteligencia algo más imaginativa, alcanzaría las más altas cotas de su profesión. Nada más llegar, buscó y arrestó con presteza al hombre sobre quien naturalmente recaían las sospechas. No hubo la menor dificultad en dar con él, porque es de sobra conocido en el vecindario. Su nombre es, al parecer, Fitzroy Simpson. Es hombre de excelente cuna y educación, que ha dilapidado una fortuna en el mundo de las carreras de caballos y que, ahora, vive de un pequeño, discreto y elegante negocio de apuestas en los clubs deportivos de Londres. Un examen de su libreta de apuestas demostró que había aceptado contra el favorito un monto de cinco mil libras.

»Al ser detenido, declaró por su propia voluntad que había ido a Dartmoor con la esperanza de conseguir alguna información sobre los caballos de King's Pyland, y también sobre Desborough, segundo favorito, el cual está a cargo de Silas Brown, en el picadero Capleton. No intentó negar que la noche anterior había actuado como queda dicho, pero declaró que no tenía ningún propósito siniestro y que, simplemente, deseaba obtener información de primera mano. Cuando le mostraron el pañuelo se puso pálido, y fue incapaz de explicar su presencia en la mano del hombre asesinado. Sus ropas húmedas demostraban que la noche anterior había permanecido fuera, bajo la lluvia, y su bastón, relleno de plomo, era la clase de arma que precisamente podía haber infligido, mediante repetidos golpes, las terribles heridas a las cuales sucumbió el entrenador.

»Por otra parte, no presentaba en toda su persona una sola herida, mientras que el estado del cuchillo de Straker demostraba que, al menos uno de sus asaltantes, tenía que llevar sobre sí sus señales. Ahí lo tiene usted todo resumido, Watson, y si puede darme alguna luz le quedaré infinitamente reconocido.

Había yo escuchado con grandísimo interés la exposición que, con su característica claridad, me había hecho Holmes. Y aunque algunos de los hechos me eran familiares, no había apreciado lo bastante su importancia, ni su posible conexión.

—¿No es posible —sugerí— que la herida incisiva de Straker fuera causada por su propio cuchillo durante los estremecimientos convulsivos que siguen a toda herida cerebral?

—Es más que posible; es probable. En tal caso, desaparece uno de los factores principales en favor del acusado.

—Con todo —dije yo—, por ahora no se me alcanza cuál pueda ser la teoría de la policía.

—Me temo que sea cual sea la teoría que formulemos, ésta tropiece con serias objeciones —declaró mi compañero—. La policía imagina, supongo yo, que ese Fitzroy Simpson, habiendo drogado al mozo, y habiendo conseguido por algún medio un duplicado de la llave, abrió la puerta de las cuadras y sacó al caballo con la aparente intención, al fin y al cabo, de secuestrarlo. Se han echado de menos sus bridas, por lo que Simpson pudo habérselas puesto. Luego, dejando la puerta abierta tras él, iba llevando el caballo páramo adelante cuando se tropezó con el entrenador o fue alcanzado por él. Naturalmente, tuvo lugar una pelea. Simpson golpeó la cabeza del entrenador con su pesado bastón sin recibir herida alguna del pequeño cuchillo que Straker utilizó en su propia defensa, y a continuación el ladrón condujo al caballo a algún escondrijo secreto, o el caballo pudo escaparse durante la lucha y andar vagando por el páramo. Este es el caso tal y como se lo plantea la policía y, por improbable que sea, todas las demás explicaciones resultan todavía más improbables. No obstante, así que yo me encuentre en el lugar de los hechos, comprobaré si fue así; pero hasta entonces no veo realmente cómo podemos adelantar nada.

Ya avanzada la tarde, llegamos a la pequeña ciudad de Tavistock, que yace, como el corazón de un escudo, en medio del amplio círculo de Dartmoor. Dos caballeros nos esperaban en la estación; uno, un hombre alto y rubio, de cabello y barba leoninos y ojos azules curiosamente penetrantes; el otro, un individuo pequeño y despierto, muy pulcro y apuesto, con levita y botines, cuidadas patillas y monóculo. El primero era el coronel Ross, conocido deportista; el otro, el inspector Gregory, hombre que estaba forjándose a toda prisa un nombre en el servicio de detectives ingleses.

—Estoy encantado de que haya usted venido, señor Holmes —dijo el coronel—. El inspector, aquí presente, ha hecho todo lo posible; pero yo no quiero que quede sin remover una sola piedra a fin de intentar vengar al pobre Straker, y para recuperar mi caballo.

—¿No hay noticias de última hora? —preguntó Holmes.

—Lamento decirle que hemos hecho muy pocos progresos —dijo el inspector—. Ahí fuera tenemos un coche descubierto y, como sin duda usted querrá ver el lugar antes de que se vaya la luz, podemos hablar mientras nos dirigimos allí.

Un minuto después estábamos todos cómodamente sentados en un landó y rodábamos a través de la antigua y curiosa ciudad del Devonshire. El inspector Gregory, inmerso en el caso, vertía un torrente de observaciones, en tanto que Holmes insertaba, de vez en cuando, una pregunta ocasional o una exclamación. El coronel Ross iba echado hacia atrás, con los brazos cruzados y el sombrero calado hasta los ojos, mientras yo escuchaba con interés la conversación que sostenían ambos detectives. Gregory formulaba su teoría, que era casi exacta a la que Holmes había expuesto en el tren.

—La red se cierra cada vez más en torno a Fitzroy Simpson —observó Gregory—, y yo creo que él es nuestro hombre. Al mismo tiempo, reconozco que las pruebas son puramente circunstanciales, y que cualquier nuevo descubrimiento puede acabar con ellas.

—¿Y qué hay del cuchillo de Straker?

—Hemos llegado a la conclusión de que se hirió él mismo al caer.

—Eso me sugirió mi amigo, el doctor Watson, cuando veníamos. Si fue así, ello iría en contra de ese tal Simpson.

—Indudablemente. No se le ha encontrado ningún cuchillo ni herida alguna. Las pruebas contra él son, sin embargo, graves. Tenía sumo interés en la desaparición del favorito; es sospechoso de haber narcotizado al mozo de cuadra; no hay duda de que permaneció bajo la tormenta; iba armado con un pesado bastón y su pañuelo fue encontrado en la mano del muerto. Creo que, en realidad, tenemos más que suficiente para enfrentarnos con un jurado.

Holmes negó con la cabeza.

—Un abogado inteligente lo haría todo trizas —dijo—. ¿A qué sacar el caballo de la cuadra? Si quería causarle daño, ¿por qué no hacérselo allí mismo? ¿Se le ha encontrado en posesión de un duplicado de la llave? ¿Qué boticario le vendió el opio en polvo? Y, sobre todo, ¿dónde podría esconder él, un extraño en el distrito, un caballo, y un caballo como ése? ¿Cuál es su propia explicación respecto al papel que él quería que la criada le entregara al mozo de cuadra?

—Dice que era un billete de diez libras. Se encontró uno en su billetero. Pero sus otras objeciones, Holmes, no son tan formidables como parecen. No es un extraño en el distrito. Ha estado viviendo dos veranos en Tavistock. El opio fue probablemente traído de Londres. La llave, una vez cumplidos sus propósitos, la tiraría lejos. El caballo puede encontrarse en el fondo de alguna de las hoyas o de alguna de las viejas minas del páramo.

—¿Qué dice él del pañuelo?

—Reconoce que es suyo y declara que lo había perdido. Pero en el caso se ha introducido un nuevo factor que podría explicar por qué sacó al caballo de la cuadra.

Holmes aguzó los oídos.

—Hemos encontrado huellas que indican que un grupo de gitanos acampó el lunes por la noche a una milla de la hondonada donde tuvo lugar el asesinato. El martes ya se habían ido. Ahora bien, suponiendo que existiera un apaño entre Simpson y esos gitanos, ¿no podría ser que, cuando fue sorprendido, estuviera llevándoles el caballo a ellos y que ahora lo tuvieran éstos?

—Desde luego, es posible.

—Estamos recorriendo el páramo en busca de esos gitanos. Yo he registrado también todas las cuadras y los cobertizos de Tavistock en un radio de diez millas.

—Tengo entendido que bastante cerca hay otro picadero, ¿no?

—Sí, y ése es un elemento que desde luego no debemos olvidar. Dado que Desborough, su caballo, iba el segundo en las apuestas, tendrían interés en la desaparición del favorito. Es sabido que Silas Brown, su entrenador, ha apostado mucho en esta ocasión y que no era en absoluto amigo del pobre Straker. Sin embargo, hemos registrado sus cuadras y no hay nada que lo relacione con el asunto.

—¿Y nada que relacione al tal Simpson con los intereses del picadero Capleton?

—Nada en absoluto.

Holmes se recostó contra el respaldo del carruaje y la conversación cesó. Al cabo de unos minutos, nuestro cochero se detuvo ante un pulcro chalé de ladrillo rojo y aleros voladizos, que se alzaba junto a la carretera. A cierta distancia, y al otro lado de un prado, se veía una construcción larga y de tejas grises. En cualquier otra dirección, las suaves ondulaciones del páramo, bronceadas por los helechos marchitos, se extendían hasta la línea del horizonte, rota tan sólo por las torres de Tavistock y por un puñado de edificios que allá, hacia el oeste, indicaban la situación del picadero Capleton. Nos apeamos todos, a excepción de Holmes, el cual continuó echado hacia atrás, con la mirada fija en el vacío, completamente absorto en sus propios pensamientos. Sólo cuando le toqué en un brazo salió de su ensimismamiento con un brusco sobresalto, y se apeó del carruaje.

—Perdóneme —dijo, volviéndose hacia el coronel Ross, que le miraba un tanto sorprendido—. Estaba soñando despierto.

Había en sus ojos un brillo y en sus maneras una disimulada excitación que, acostumbrado como yo estaba a sus actitudes, me convencieron de que había dado con alguna pista, aunque me resultaba imposible imaginar dónde había dado con ella.

—Quizá prefiera usted, señor Holmes, ir primero al escenario del crimen —dijo Gregory.

—Creo que preferiría permanecer un poco aquí y abordar una o dos cuestiones de detalle. A Straker lo habrán traído aquí, ¿me equivoco?

—Sí, está en el piso de arriba. La encuesta judicial es mañana.

—Estuvo a su servicio algunos años, ¿no, coronel Ross?

—Siempre lo tuve por un excelente servidor.

—Supongo, inspector, que haría usted un inventario de lo que llevaba en sus bolsillos en el momento de su muerte.

—Lo tengo todo en el cuarto de estar, si quiere verlo.

—Me gustaría mucho.

Entramos en fila en la habitación de delante y nos situamos alrededor de la mesa central, mientras el inspector abría una caja de cinc, cuadrada, y colocaba ante nosotros un montoncito de cosas. Había una caja de cerillas, un cabo de vela de sebo de dos pulgadas, una pipa de raíz de brezo, una petaca de piel de foca con media onza de Cavendish de hebra larga, un reloj de plata con su cadena de oro, cinco soberanos de oro, un estuche de aluminio para lápices, unos cuantos papeles y un cuchillo con mango de marfil y hoja muy fina y rígida, con la marca «Weiss and Co., Londres».

—Es un cuchillo muy curioso —dijo Holmes, alzándolo y examinándolo minuciosamente—. Puesto que veo en él manchas de sangre, supongo que es el que se encontró en la mano del muerto. Watson, este cuchillo seguramente tiene algo que ver con su profesión.

—Es de los que llamamos estiletes para cataratas —dije yo.

—Eso me ha parecido. Una hoja finísima destinada a un trabajo muy delicado. Extraño objeto para que lo llevara consigo un hombre que había salido a una correría peligrosa, en especial porque no podía metérselo en un bolsillo.

—La punta estaba protegida por un disco de corcho que encontramos junto al cuerpo —dijo el inspector—. Su mujer nos ha dicho que este cuchillo llevaba varios días encima del tocador y que Straker lo cogió al salir del dormitorio. Era una pobre arma, pero tal vez la mejor que encontró a mano en aquel momento.

—Muy posiblemente. ¿Qué hay en esos papeles?

—Tres de ellos son facturas de vendedores de heno con sus correspondientes recibos. Otro es una carta del coronel Ross con instrucciones. Este otro es una factura de una modista por treinta y siete libras con quince, extendida por madame Lesurier, de Bond Street, a nombre de William Darbyshire. La señora Straker nos ha dicho que Darbyshire es un amigo de su marido, cuyas cartas eran dirigidas, ocasionalmente, aquí.

—La señora Darbyshire tiene unos gustos algo caros —observó Holmes, mirando la cuenta de arriba abajo—. Veintidós guineas son muchas guineas por un solo vestido. De todos modos, me parece que aquí ya no tenemos nada más que ver y que podemos dirigirnos a la escena del crimen.

Cuando salíamos del cuarto de estar, una mujer que había estado aguardando en el pasillo dio un paso hacia adelante y cogió al inspector por una manga. Su rostro ojeroso era delgado y estaba anhelante; marcado por la huella de un horror reciente.

—¿Los han cogido? ¿Han dado con ellos? —jadeó.

—No, señora Straker; pero el señor Holmes, aquí presente, ha venido desde Londres para ayudarnos, y haremos cuanto sea posible.

—Seguramente nos conocimos en Plymouth, en una recepción al aire libre, hace ya algún tiempo, señora Straker —dijo Holmes.

—No, señor. Está usted confundido.

—¡Dios mío, hubiera jurado que sí! Llevaba usted un vestido de seda color paloma, con adornos de pluma de avestruz.

—Nunca he tenido un vestido así —replicó la señora.

—¡Ah!, eso pone fin a la cuestión —dijo Holmes; y, tras una disculpa, siguió afuera al inspector.

Un breve paseo por el páramo nos condujo a la hondonada donde había sido hallado el cuerpo. En el borde mismo se alzaba la mata de aulagas donde se había encontrado colgado el impermeable.

—Tengo entendido que aquella noche no hizo viento —dijo Holmes.

—En absoluto, pero llovió muy fuerte.

—En tal caso, el impermeable no fue arrastrado hasta el matorral de aulagas, sino colocado allí.

—Sí, estaba extendido sobre la mata.

—Despierta usted mi interés. Observo que el suelo ha sido ampliamente pisoteado. Sin duda, desde la noche del lunes han andado por aquí muchos pies.

—Hemos puesto a un lado un trozo de estera, y nadie se ha salido de ella.

—Espléndido.

—En este saco de mano tengo una de las botas que llevaba Straker, uno de los zapatos de Fitzroy Simpson y una vieja herradura de Estrella de Plata.

—¡Mi querido inspector, se supera usted a sí mismo!

Holmes cogió el saco de mano y, descendiendo a la hondonada, colocó la estera en posición central. Después, tumbándose boca abajo y apoyando la barbilla en sus manos, hizo un cuidadoso estudio del barro pisoteado que tenía ante sí.

—¡Hola! —dijo de pronto—. ¿Qué es esto?

Era una cerilla de cera, medio quemada y tan cubierta de barro que, de entrada, parecía una astillita.

—No alcanzo a comprender cómo se me pasó por alto —dijo el inspector, con expresión de fastidio.

—Enterrada en el barro, era invisible. Y si yo la he visto es porque andaba buscándola.

—¡Cómo! ¿Esperaba usted encontrarla?

—Me parecía que no era improbable.

Cogió del saco de mano los respectivos calzados y los comparó con las huellas de cada uno de ellos que había en la tierra. Entonces trepó hasta el borde de la hondonada y gateó por entre los helechos y los arbustos.

—Me temo que ya no hay más huellas —dijo el inspector—. Yo mismo he examinado la tierra con sumo cuidado en un radio de cien yardas a la redonda.

—¡Cierto! —dijo Holmes, incorporándose—. No cometeré la impertinencia de volver a hacerlo después de lo que usted ha dicho. Pero, antes de que se haga más oscuro, me gustaría dar un paseo por el páramo a fin de que mañana yo conozca bien el terreno, y creo que me guardaré esta herradura en el bolsillo para que me dé suerte.

El coronel Ross, que, ante el tranquilo y sistemático método de trabajo de mi compañero, había dado algunas muestras de impaciencia, echó un vistazo a su reloj.

—Me gustaría, inspector —dijo—, que usted regresara conmigo. Hay algunas cosas sobre las que desearía conocer su opinión y, en particular, sobre si no deberíamos hacer público que tachamos el nombre de nuestro caballo de la lista de inscripciones para la Copa.

—¡Desde luego que no! —exclamó Holmes con decisión—. Yo dejaría el nombre en paz.

El coronel hizo una ligera inclinación:

—Me satisface mucho haber obtenido su opinión, señor —dijo—. Cuando haya usted concluido de pasear, nos encontrará en casa del pobre Straker y podremos volver todos juntos en coche a Tavistock.

Regresó con el inspector, mientras Holmes y yo paseábamos por el páramo. El sol comenzaba a hundirse por detrás del picadero Capleton, y la dilatada llanura que en declive se extendía delante de nosotros iba tiñéndose de oro, que, allí donde los marchitos helechos y las zarzas apresaban la oscuridad de la noche, tendía a un brillante y rojizo color castaño. Pero los esplendores del paisaje eran ignorados totalmente por mi compañero, sumido en los más profundos pensamientos.

—Es un cuchillo muy curioso —dijo Holmes.

—Este es el camino, Watson —dijo al fin—. Dejemos por un momento la cuestión de quién mató a John Straker y concentrémonos en averiguar qué ha sido del caballo. Pues bien, suponiendo que, durante la tragedia o después de ésta, huyera lejos, ¿adónde pudo ir? Los caballos son criaturas muy gregarias. Abandonado a sus propios instintos, o bien habría regresado a King's Pyland o bien se habría ido a Capleton. ¿Por qué habría de quedarse suelto por el páramo? Seguramente alguien lo hubiera visto ya. Y ¿por qué habrían de raptarlo los gitanos? Estos, cuando oyen que hay complicaciones, siempre se quitan de en medio, porque no desean ser molestados por la policía. No esperarán vender un caballo como ése. Esto es algo muy claro.

—Entonces, ¿dónde está?

—Ya he dicho que o tendría que haber vuelto a King's Pyland o haber ido a Capleton. En King's Pyland no está, luego está en Capleton. Tomemos esto como hipótesis de trabajo, y veamos adónde nos conduce. Esta parte del páramo es, como ha observado el inspector, muy dura y seca. Pero hacia Capleton forma una pendiente y, así, desde aquí puede usted ver que, más allá, hay una larga hondonada que la noche del lunes debía de estar muy encharcada. Si nuestra hipótesis es correcta, el caballo tuvo que cruzarla y ése es el lugar donde debemos buscar sus huellas.

Durante esta conversación habíamos caminado a buen paso y nos bastaron pocos minutos para llegar a la hondonada en cuestión. A requerimiento de Holmes, yo bajé por el talud de la derecha, y él por el de la izquierda, pero aún no habría dado yo cincuenta pasos cuando le oí gritar y vi que me llamaba con la mano. La huella de un caballo se dibujaba claramente en la tierra blanda, y la herradura que se sacó del bolsillo coincidía exactamente con ella.

—Vea usted el valor de la imaginación —dijo Holmes—. Es la única cualidad que le falta a Gregory. Nosotros nos hemos imaginado lo que podía haber sucedido, hemos actuado según esa suposición y hemos comprobado que era cierta. Prosigamos.

Cruzamos el fondo pantanoso y atravesamos un cuarto de milla de hierba seca y dura. El terreno descendía otra vez y otra vez tropezamos con las huellas. Luego las perdimos durante cosa de una milla, pero volvimos a encontrarlas de nuevo muy cerca de Capleton. Fue Holmes quien las vio primero, y se quedó de pie señalándolas con una mirada de triunfo en el rostro. Las huellas de un hombre eran visibles junto a las del caballo.

—Antes el caballo iba solo —exclamé.

—Así es. Antes iba solo. ¡Hola! ¿Qué es esto?

Las dobles huellas giraban de repente y tomaban la dirección de

King's Pyland. Holmes lanzó un silbido, y ambos fuimos tras ellas. Sus ojos seguían el rastro, pero a mí se me ocurrió mirar un poco hacia un lado y, para mi asombro, vi que el mismo rastro volvía de nuevo hacia atrás, en dirección contraria.

—Uno a su favor, Watson —dijo Holmes, cuando se lo indiqué—. Nos ha ahorrado usted una larga caminata que nos hubiera traído de vuelta sobre nuestras propias huellas. Sigamos el rastro del regreso.

No tuvimos que ir lejos. Concluía en el pavimento asfaltado que conducía a la puerta del picadero Capleton. Al acercarnos, salió corriendo por ella un mozo.

—Aquí no queremos gente merodeando —dijo.

—Yo sólo quería hacer una pregunta —dijo Holmes, metiéndose los dedos índice y pulgar en el bolsillo del chaleco—. Si vengo a ver a tu patrón, el señor Silas Brown, mañana por la mañana, a eso de las cinco, ¿será demasiado temprano?

—¡Válgame el cielo, caballero! Si hay alguien rondando, será él, porque siempre es el primero en levantarse. Pero aquí viene, señor, y él mismo contestará a su pregunta. No, caballero, no. Aprecio en mucho mi puesto para que me vean aceptando su dinero. Más tarde, si usted quiere.

Mientras Sherlock Holmes se guardaba la media corona que había sacado de su bolsillo, un hombre ya mayor y de aspecto fiero salía por la puerta blandiendo un látigo.

—¿Qué pasa, Dawson? —gritó—. ¡Nada de cotilleos! ¡Tú a lo tuyo! Y usted... ¿Qué demonios busca usted aquí?

—Hablar diez minutos con usted, amigo —dijo Holmes, con la más meliflua de las voces.

—Yo no tengo tiempo para hablar con entrometidos. Aquí no nos gustan los extraños. ¡Lárguese o se encontrará con un perro pegado a los talones!

Holmes se inclinó hacia adelante y susurró algo al oído del entrenador. Este se sobresaltó y enrojeció hasta las orejas.

—¡Es mentira! —gritó—. ¡Una sucia mentira!

—¡Muy bien! Podemos discutirlo aquí, en público, o ¿mejor lo hablamos en su casa?

—¡Oh, entre usted, si así lo desea!

Holmes sonrió.

—Watson —dijo—, no le haré esperar sino unos minutos. Ahora, señor Brown, estoy a su entera disposición.

Fueron veinte minutos largos y, antes de que Holmes y el entrenador reaparecieran, los colores rojizos se habían resuelto en grises. Nunca he visto un cambio como el que se había operado en Silas Brown en aquel breve espacio de tiempo. Tenía el rostro de un blanco ceniza, gotitas de sudor brillaban en su frente y sus manos temblaban hasta tal extremo que el látigo se agitaba como una rama bajo el viento. Sus despóticos modales de matón también habían desaparecido y avanzaba encogido junto a mi compañero como un perro con su amo.

—Sus instrucciones serán cumplidas. Se cumplirán —dijo.

—No ha de haber un solo error —dijo Holmes, volviéndose a mirarle.

El otro, al leer en sus ojos la amenaza, pestañeó.

—¡Oh, no, no habrá ningún error! Allí estará. ¿Quiere que antes lo cambien o no?

Holmes pensó un poco y luego se echó a reír:

—No, no. Ya le escribiré sobre todo esto. Y nada de trucos o...

—¡Oh, puede usted confiar en mí, puede usted confiar en mí!

—Ese día actuará usted como si fuese suyo.

—Puede fiarse de mí.

—Sí, creo que puedo. Bien, mañana tendrá usted noticias mías.

Sin mirar la mano temblorosa que el otro le tendía, Holmes giró sobre sus talones y emprendimos el camino de King's Pyland.

—Pocas veces me he topado con tan perfecta mezcla de matón, cobarde y chivato como este Silas Brown —observó Holmes, mientras caminábamos juntos a buen paso.

—Entonces, ¿tiene el caballo?

—Ha intentado fanfarronear al respecto, pero yo le he descrito con tanta exactitud sus maniobras de aquella mañana que está convencido de que anduve espiándole. Naturalmente usted observaría las curiosas punteras cuadradas de las huellas, y que sus propias botas encajaban en ellas. Naturalmente, una vez más, ningún subalterno se habría atrevido a cometer tal acción. Le he descrito cómo, de acuerdo con sus costumbres, al ser el primero en levantarse, fue él quien vio un caballo ajeno vagando por el páramo; cómo salió tras él y su asombro al darse cuenta, por la frente blanca que ha dado nombre al favorito, de que el destino había puesto en sus manos al único caballo que podía derrotar a aquel por el que él había apostado su dinero. Entonces le he descrito cómo su primer impulso fue devolverlo a King's Pyland, y cómo el diablo le hizo ver que podía ocultarlo hasta que hubiera pasado la carrera, y cómo dio media vuelta y lo escondió en Capleton. Cuando le he dado todos estos detalles, se ha desmoronado y sólo ha pensado en salvar el pellejo.

—¡Pero sus cuadras fueron registradas!

—Oh, un viejo bribón como él sabe muchos trucos.

—Y dado el interés que tiene en hacerle daño, ¿no le da a usted miedo dejar el caballo en su poder?

—Querido amigo, lo cuidará como a las niñas de sus ojos. Sabe que su única esperanza de perdón es conservarlo sano y salvo.

—En cualquier caso, el coronel Ross no me ha dado la impresión de ser hombre que esté dispuesto a mostrarse muy clemente.

—El asunto no depende del coronel Ross. Yo sigo mis propios métodos, y explico mucho o poco según me parece. Esa es la ventaja de no ser detective oficial. No sé si usted lo ha observado, Watson, pero el coronel ha empleado conmigo unos modales un tanto altaneros. Así que me inclino a divertirme un poco a costa suya. No le diga usted nada del caballo.

—No sin su permiso, desde luego.

—Y, por descontado, éste es un caso insignificante comparado con el asunto de quién mató a John Straker.

—¿Y va usted a consagrarse a esto?

—Al contrario, nosotros dos nos volveremos a Londres en el tren de la noche.

Me quedé atónito ante las palabras de mi amigo. Sólo habíamos estado en el Devonshire unas pocas horas y me resultaba por completo incomprensible que abandonase una investigación que había comenzado tan brillantemente. No conseguí arrancarle una palabra más hasta que estuvimos de vuelta en casa del entrenador. El coronel y el inspector nos esperaban en la salita.

—Mi amigo y yo regresaremos a la ciudad en el tren de medianoche —dijo Holmes—. Nos ha encantado respirar un poco de su precioso aire de Dartmoor.

El inspector abrió mucho los ojos y los labios del coronel se curvaron con sarcasmo.

—Así —dijo éste—, desespera usted de arrestar al asesino del pobre Straker.

Holmes se encogió de hombros.

—Desde luego he tropezado en mi camino con serias dificultades —dijo—. Sin embargo, albergo esperanzas de que su caballo tome la salida el martes, y le ruego que tenga a su jockey a punto. ¿Podría conseguir una foto del señor John Straker?

El inspector sacó una de un sobre que llevaba en el bolsillo, y se la tendió.

—Mi querido Gregory, se anticipa usted a todos mis deseos. Les ruego tengan la amabilidad de aguardar aquí un momento, tengo una pregunta que me gustaría hacerle a la criada.

—Debo decir que estoy más bien decepcionado respecto a nuestro asesor de Londres —dijo el coronel Ross, tajantemente, así que mi amigo hubo abandonado la estancia—. No veo que hayamos adelantado nada con su llegada.

—Por lo menos tiene usted la garantía de que su caballo correrá —dije yo.

—Sí, tengo su garantía —dijo el coronel, encogiéndose de hombros—. Preferiría tener el caballo.

Estaba yo a punto de decir algo en defensa de mi amigo, cuando entró él de nuevo en la habitación.

—Ahora, caballeros —dijo—, estoy absolutamente dispuesto a ir a Tavistock.

Mientras subíamos al carruaje, uno de los mozos de cuadra nos mantuvo abierta la portezuela. A Holmes pareció ocurrírsele una idea repentina, porque se inclinó y le dio al mozo un golpecito en el brazo.

—Veo que tienen ustedes algunas ovejas por el prado... —dijo—. ¿Quién las cuida?

—Yo, señor.

—¿No ha observado en ellas nada extraño últimamente?

—Bueno, señor, nada importante en realidad; pero tres de ellas han empezado a cojear, señor.

Pude advertir que Holmes se mostraba en extremo satisfecho, porque dejó escapar una risita y se frotó las manos.

—Buen tiro, Watson. ¡Buenísimo! —dijo, pellizcándome el brazo—. Gregory, permítame que llame su atención sobre esta singular epidemia surgida entre las ovejas. ¡Adelante, cochero!

El coronel todavía conservaba la expresión reveladora de la pobre opinión que se había formado de la habilidad de mi compañero; pero en el rostro del inspector pude observar que su interés se había despertado vivamente.

—¿Considera usted que eso es importante? —preguntó.

—Sumamente importante.

—¿Hay algún otro punto sobre el que quiera usted llamar mi atención?

—La curiosa actitud del perro aquella noche.

—Aquella noche el perro no hizo nada.

—Eso es lo curioso de su actitud —subrayó Sherlock Holmes.

Cuatro días después, Holmes y yo nos encontrábamos de nuevo en el tren, rumbo a Winchester, para ver la carrera de la Copa Wessex. El coronel Ross se reunió con nosotros, previa cita, fuera de la estación y fuimos en su coche hasta el hipódromo, al otro extremo de la ciudad. Su expresión era severa y sus modales en extremo fríos.

—No he sabido nada de mi caballo —dijo.

—Supongo que cuando lo vea, lo reconocerá usted, ¿no? —preguntó Holmes.

El coronel se mostró muy airado.

—Hace veinte años que tomo parte en carreras de caballos y hasta hoy jamás me habían hecho semejante pregunta. Hasta un niño reconocería a Estrella de Plata con su frente blanca y su pata delantera moteada.

—¿Cómo van las apuestas?

—Bueno, eso es lo más curioso. Ayer uno podía conseguir un quince a uno; pero esa diferencia ha ido reduciéndose más y más hasta el extremo de que ahora a duras penas puedes lograr un tres a uno.

—¡Hum! —musitó Holmes—. ¡Es evidente que alguien sabe algo!

Cuando el coche se detuvo en el recinto próximo a la tribuna, yo lancé un vistazo al programa para ver quién participaba. Corrían:

Copa Wessex. 50 soberanos cada uno, con 1.000 soberanos más para los caballos de cuatro y cinco años. Segundo, 300 libras. Tercero, 200 libras. Nuevo hipódromo: una milla y cinco furlongs.

1. *Azabache*, del señor Heath Newton (gorra roja y chaquetilla canela).
2. *Pugilist*, del coronel Wardlaw (gorra rosa y chaquetilla azul y negra).
3. *Desborough*, de lord Blackwater (gorra y mangas amarillas).
4. *Estrella de Plata*, del coronel Ross (gorra negra y chaquetilla roja).
5. *Iris*, del duque de Balmoral (rayas amarillas y negras).
6. *Rasper*, de lord Singleford (gorra púrpura y mangas negras).

—Hemos retirado al otro caballo y hemos puesto todas nuestras esperanzas en su palabra —dijo el coronel—. Pero, ¿qué es esto? ¿Estrella de Plata el favorito?

—¡Cinco a cuatro contra Estrella de Plata! —bramaba el recinto—. ¡Cinco a cuatro contra Estrella de Plata! ¡Quince a cinco contra Desborough! ¡Cinco a cuatro para el resto!

—Ya han colocado los números —exclamé yo—. ¡Y están los seis!

—¡Los seis! Entonces mi caballo va a correr —exclamó el coronel, con gran agitación—. Pero no lo veo. Mis colores no han desfilado.

—Sólo han desfilado cinco. Debe de ser aquél.

Conforme yo hablaba, salió del pesaje un poderoso caballo bayo que medio galopó hacia nosotros, llevando sobre el lomo los bien conocidos colores rojo y negro del coronel.

—Ese no es mi caballo —exclamó el propietario—. Este animal no tiene un solo pelo blanco en todo su cuerpo. ¿Qué ha hecho usted, señor Holmes?

—Bueno, bueno, veamos cómo se porta —dijo imperturbable mi amigo.

Durante unos instantes estuvo mirando con mis gemelos de campaña.

—¡Magnífico! ¡Una salida espléndida! —exclamó de repente—. ¡Ahí vienen, cogiendo la curva!

Desde el coche teníamos una soberbia vista de los caballos avanzando por la recta. Los seis animales marchaban tan juntos que una alfombra hubiera bastado para cubrirlos a todos; pero, a mitad de la recta, el amarillo de las cuadras Capleton pareció colocarse a la cabeza. Antes de llegar a nuestra altura, Desborough había aflojado sin embargo su ímpetu, y el caballo del coronel, adelantándole a galope tendido, pasó por la meta con seis cuerpos de ventaja sobre su rival, siendo Iris, del duque de Balmoral, un muy rezagado tercero.

—Sea como fuere, la carrera es mía —dijo anhelante el coronel, mientras se pasaba una mano por los ojos—. Reconozco que esto no tiene pies ni cabeza. ¿No cree, señor Holmes, que ya ha llevado usted su misterio demasiado lejos?

—Desde luego, coronel. Lo sabrá usted todo. Vamos a dar una vuelta y a echarle un vistazo al caballo todos juntos. Aquí está —prosiguió, cuando nos dirigíamos al pesaje, donde sólo eran admitidos los propietarios y sus amigos—. Sólo tiene que lavarle la cara y la pata con espíritu de vino y se encontrará con que es el mismo Estrella de Plata de siempre.

—¡Me deja usted sin habla!

—Lo encontré en manos de un bribón, y me tomé la libertad de hacerlo correr, tal y como me fue enviado.

—Mi querido señor, ha obrado usted un milagro. El caballo parece sano y fuerte. Nunca ha corrido mejor en su vida. Le debo a usted mil excusas por haber dudado de su talento. Devolviéndome mi caballo me ha prestado un gran servicio. Pero aún me haría otro mayor si pudiera echarle el guante al asesino de John Straker.

—Ya lo he hecho —dijo Holmes, tranquilamente.

El coronel y yo le miramos atónitos.

—¡Lo ha cogido ya! En tal caso, ¿dónde está?

¡Ahí vienen, cogiendo la curva!

—Aquí.

—¡Aquí! ¿Dónde?

—En este preciso momento, a mi lado.

El coronel enrojeció, iracundo.

—Reconozco, sin ambages, que tengo para con usted determinadas obligaciones, señor Holmes, pero no me queda más remedio que considerar lo que acaba de decir como una broma de muy mal gusto o como un insulto.

Sherlock Holmes se rió.

—Le garantizo, coronel, que nunca le he asociado a usted con el crimen. ¡El auténtico asesino está justamente detrás de usted!

Holmes dio un paso y colocó su mano sobre el lustroso cuello del pura sangre.

—¡El caballo! —exclamamos a un tiempo ambos, el coronel y yo.

—Sí, el caballo. Y puede que le sirva de atenuante que yo diga que lo hizo en defensa propia y que John Straker era un hombre totalmente indigno de su confianza, coronel. Pero he ahí la campana; y, como me he propuesto ganar algo en la próxima carrera, aplazaré una explicación más detallada para mejor ocasión.

Aquella noche, cuando regresábamos rápidamente a Londres, disfrutamos del rincón de un vagón Pullman, y me figuro que el viaje se le haría tan corto al coronel Ross como a mí mismo, porque lo pasamos escuchando la narración que hizo mi compañero de los acontecimientos ocurridos en los picaderos de Dartmoor aquel lunes por la noche y de los medios de que se había valido para desenmarañarlos.

—Confieso —dijo— que todas las teorías que me había forjado a partir de los reportajes de los periódicos eran absolutamente erróneas. Y, con todo, había en ellos datos que, de no haber estado ocultos bajo otros detalles, hubieran revelado su importancia. Vine a Devonshire con la convicción de que Fitzroy Simpson era el auténtico culpable, aunque me daba cuenta de que las pruebas contra él no eran concluyentes.

»En el preciso momento en que llegábamos a la casita del entrenador, estando yo todavía en el coche, se me ocurrió lo muy significativo que resultaba el cordero al curry. Recordarán que yo estaba distraído y que continuaba sentado después de que todos ustedes se hubieran apeado. Estaba preguntándome para mis adentros cómo era posible que se me hubiera pasado por alto una pista tan evidente.

—Reconozco —dijo el coronel— que ni siquiera ahora logro ver de qué pudo servirnos eso.

—Fue el primer eslabón de una cadena de razonamientos. El opio en polvo no es, en modo alguno, insípido. Su sabor no es desagradable, pero sí perceptible. Cuando se mezcla con cualquier plato corriente, el que lo coma lo detectará sin duda, y es muy probable que ya no siga comiendo. El curry es exactamente el medio que permite disimularlo. Es absurdo suponer que Fitzroy Simpson, un forastero, pudiera decidir que aquella noche se sirviera curry a la familia del entrenador y a buen seguro sería una monstruosa coincidencia que él llevara encima opio en polvo la noche misma en que iba a servirse un guiso que disimularía su sabor. Es impensable. Por esta razón, Simpson quedó eliminado del caso y nuestra atención se centró en Straker y su mujer. Las únicas personas que habían podido decidir que aquella noche se cenara cordero al curry. El opio fue añadido después al plato apartado para el mozo de cuadra, porque todos los demás cenaron lo mismo sin acusar efectos nocivos. ¿Quién de los dos, pues, tuvo acceso al plato sin que la criada lo viese?

»Antes de decidir esta cuestión, había yo comprendido lo significativo del silencio del perro, porque una deducción veraz sugiere invariablemente otras. El incidente con Simpson me hizo caer en la cuenta de que en las cuadras había un perro y de que, pese a que alguien había entrado para llevarse el caballo, no había ladrado lo suficiente como para despertar a los dos mozos del desván. Obviamente, el visitante nocturno era alguien a quien el perro conocía bien.

»Yo estaba ya convencido, o casi convencido, de que John Straker había acudido a las cuadras en plena noche y había sacado a Estrella de Plata. ¿Con qué propósito? Con alguno poco honrado, evidentemente. O de lo contrario, ¿por qué tuvo que drogar a su mozo de cuadra? Pero aún estaba perplejo respecto al porqué. Ya antes de ahora se han dado casos de entrenadores que han ganado bonitas sumas de dinero apostando, por medio de agentes, contra sus propios caballos, e impidiendo luego, mediante algún fraude, que ganasen. Unas veces es un jockey que frena al caballo. Otras veces, se valen de procedimientos más seguros y sutiles. ¿De qué se trataría aquí? Yo esperaba que el contenido de sus bolsillos me ayudase a llegar a una conclusión.

»Y así fue. Ustedes no pueden haberse olvidado del curioso cuchillo que fue encontrado en la mano del muerto, cuchillo que, desde luego, ningún hombre en su sano juicio habría cogido como arma. Era, como el doctor Watson nos dijo, un tipo de estilete que se usa en las operaciones más delicadas conocidas en cirugía. Y en una delicada operación iba a ser usado aquella noche. Usted, coronel Ross, dada su gran experiencia en caballos, debe de saber que es posible practicar una pequeña incisión en los tendones de la corva de un caballo, y hacerlo subcutáneamente, de tal forma que no deje ninguna huella. El caballo así tratado desarrollaría una leve cojera que podría atribuirse a una torcedura durante los entrenamientos o a un ataque de reúma; pero jamás a un acto delictivo.

—¡Canalla! ¡Sinvergüenza! —exclamó el coronel.

—He aquí la explicación de por qué John Straker quería llevarse el caballo al páramo. Un animal tan fogoso, así que hubiera notado el pinchazo del cuchillo hubiera despertado, claro está, al más profundo de los durmientes. Era absolutamente necesario hacerlo al aire libre.

—¡He estado ciego! —exclamó el coronel—. ¡Claro, para eso necesitaba una vela y encender una cerilla!

—Sin duda. Pero al examinar sus pertenencias, tuve la fortuna de descubrir no sólo el método empleado en el crimen, sino también sus motivos. Como hombre de mundo, coronel, usted sabe que los hombres no llevamos en los bolsillos las facturas de otro. Muchos de nosotros ya tenemos más que suficiente con pagar las nuestras. Enseguida deduje que Straker llevaba una doble vida y que mantenía una segunda vivienda. La naturaleza de las facturas demostraba que, en este caso, se trataba de una mujer, y de una mujer que tenía gustos caros. Por muy generoso que usted sea con sus empleados, a uno le cuesta creer que éstos puedan comprar un vestido de calle, para señora, de veinte guineas. Interrogué a la señora Straker respecto al vestido sin que ella lo notara, y una vez convencido de que jamás había llegado a sus manos, tomé nota de la dirección de la modista, pensando que, de visitarla con una fotografía de Straker, podría eliminar fácilmente al mítico Darbyshire.

»A partir de aquel momento todo quedó aclarado. Straker había llevado el caballo a una hondonada donde la luz no fuera visible. Simpson, en su huida, había perdido el pañuelo y Straker lo había recogido con alguna idea, quizá a fin de usarlo para atar la pata del caballo. Una vez en la hondonada, se situó detrás del caballo y encendió una cerilla, pero el animal, asustado por el súbito resplandor y guiado por el raro instinto que advierte a los animales de que algo se trama contra ellos, soltó una coz, y la herradura de acero golpeó a Straker en plena frente. Este, a pesar de la lluvia, ya se había quitado el impermeable para cumplir su delicado objetivo, y así, al caer, se hirió en el muslo con el cuchillo, ¿ha quedado claro?

—¡Maravilloso! —exclamó el coronel—. ¡Maravilloso! Como si hubiera estado usted allí.

—Mi último tiro, lo reconozco, tuvo un largo alcance. Se me ocurrió que un hombre tan ladino como Straker jamás emprendería una operación de tendón tan delicada sin un poco de práctica. ¿En qué podía practicar? Mis ojos se fijaron en las ovejas, e hice una pregunta que, más bien para mi sorpresa, me confirmó que mi suposición era correcta.

—¡Lo ha aclarado todo a la perfección, señor Holmes!

—Cuando regresé a Londres, visité a la modista, que al punto reconoció en Straker a un excelente cliente, de nombre Darbyshire, el cual tenía una esposa muy fina, con una exagerada afición por los vestidos caros. No me cabe la menor duda de que esa mujer lo había sumido en deudas hasta las cejas y de que lo condujo a una conspiración tan vil.

—Lo ha explicado usted todo, menos una cosa —dijo el coronel—. ¿Dónde estaba el caballo?

—Ah, se escapó y uno de sus vecinos cuidó de él. En este sentido, yo creo que deberíamos conceder una amnistía. Esto es Clapham Junction, si no me equivoco, y en menos de diez minutos estaremos en la estación Victoria. Si le apetece fumar un cigarro en nuestras habitaciones, coronel, tendré sumo gusto en proporcionarle cualquier otro detalle que sea de su interés.

El carbunclo azul

Había ido a visitar a mi amigo Sherlock Holmes la segunda mañana después de Navidad, con el propósito de desearle los parabienes propios de aquellas fechas. Estaba tumbado en el sofá, con un batín púrpura, un portapipas a su alcance a la derecha y un montón de diarios matutinos arrugados, que evidentemente acababa de estudiar, cerca de sus manos. Junto al sofá había una silla de madera en un extremo de cuyo respaldo colgaba un más que raído y asqueroso sombrero de fieltro, maltrecho y agujereado por varios sitios. Una lupa y unas pinzas dejadas en el asiento de la silla sugerían que el sombrero había sido colgado de aquella manera con la intención de examinarlo.

—Está usted ocupado —dije yo—; quizá le interrumpo.

—En absoluto. Me alegro de tener aquí a un amigo con el que pueda discutir mis conclusiones. El asunto es perfectamente trivial —giró el pulgar en dirección al sombrero—; pero hay algunos detalles relacionados con él que no están desprovistos de interés, e incluso resultan aleccionadores.

Me senté en su sillón y me calenté las manos ante la chisporroteante chimenea, porque había caído una fuerte helada y las ventanas estaban cubiertas de cristales de hielo.

—Supongo —observé— que, por muy sencillo que parezca, estará ligado a una historia de muerte..., que es la pista que le conducirá a usted a la solución de algún misterio y al castigo de algún crimen.

—No, no. Nada de crimen —dijo Sherlock Holmes, riendo—. Sólo es uno de esos azarosos y pequeños incidentes que suceden cuando se tiene a cuatro millones de seres humanos empujándose todos, los unos a los otros, en el espacio de unas pocas millas cuadradas. Entre las acciones y las reacciones de tan denso hormiguero humano, cabe esperar que tengan lugar todas las combinaciones posibles de acontecimientos y que pueda presentarse cualquier problema insignificante que, por chocante y extraño que parezca, no tiene por qué ser criminal. Nosotros ya hemos pasado por alguna experiencia así.

—Tanto —observé yo—, que de los seis últimos casos que he añadido a mis notas, tres están por completo exentos de cualquier crimen.

—Exacto. Alude usted a mi intento de recuperar los documentos de Irene Adler, al curioso caso de la señorita Mary Sutherland y a la aventura del hombre del labio retorcido. Bien, no me cabe la menor duda de que este pequeño asunto irá a caer en la misma inocente categoría. ¿Conoce usted a Peterson, el conserje?

—Sí.

—Este trofeo le pertenece a él.

—Es su sombrero.

—No, no; él lo encontró. Su propietario es un desconocido. Le ruego que lo considere usted, no como un malparado sombrero hongo, sino como un problema intelectual. Y, ante todo, cómo llegó aquí. Llegó la mañana de Navidad, en compañía de un ganso bien cebado, el cual estará en estos momentos, no me cabe duda, asándose en el hogar de Peterson. Los hechos son éstos. Alrededor de las cuatro de la mañana del día de Navidad, Peterson, que, como usted sabe, es un tipo muy honesto, regresaba de alguna fiestecita a su casa por Tottenham Court Road. A la luz del gas, vio frente a él a un hombre alto, que caminaba con un ligero tambaleo y llevaba sobre los hombros un ganso blanco. Al llegar a la esquina de Goodge Street, estalló una pelea entre el desconocido y un grupito de matones. Uno de éstos arrebató de un golpe el sombrero del hombre, ante lo cual éste alzó su bastón para defenderse y, al agitarlo por encima de su cabeza, rompió el cristal del escaparate que tenía a sus espaldas. Peterson había echado a correr para proteger de sus asaltantes al desconocido, pero éste, asustado por haber roto el escaparate y viendo que corría hacia él una persona que por su aspecto uniformado parecía un funcionario público, arrojó el ganso, puso pies en polvorosa y desapareció por entre el laberinto de callejas que queda detrás de Tottenham Court Road. Los matones, al aparecer Peterson, también habían huido, por lo que éste quedó dueño del campo de batalla y del botín de la victoria, en forma de este maltrecho sombrero y del más intachable de los gansos de Navidad.

—No, no. Nada de crimen —dijo Sherlock Holmes, riendo.

—Que seguramente devolvería a su dueño.

—Amigo mío, ahí reside el problema. Cierto que en un cartoncito atado a la pata izquierda del ave estaba escrito «Para la señora de Henry Baker», y cierto también que en el forro del sombrero pueden leerse las iniciales «H.B.»; pero, como en esta ciudad nuestra hay varios miles de Baker y varios cientos de Henry Baker, no resulta fácil devolver a uno de ellos sus propiedades perdidas.

—¿Qué hizo, pues, Peterson?

—Sabiendo que incluso los problemas más pequeños me interesan, me trajo ambas cosas, sombrero y ganso, la mañana del día de Navidad. Hemos guardado el ganso hasta hoy, en que, a despecho de la ligera helada, presentaba síntomas de que lo mejor sería comérselo sin más dilaciones inútiles. En vista de eso, el que lo encontró se lo ha llevado para que cumpla el destino final de todo ganso, mientras yo continúo conservando el sombrero del desconocido caballero que perdió su comida de Navidad.

—¿El no ha puesto ningún anuncio?

—Ninguno.

—Entonces, ¿qué pistas puede tener usted para identificarlo?

—Como mucho las que deduzcamos.

—¿De este sombrero?

—Exactamente.

—Bromea usted. ¿Qué puede deducir de este maltrecho fieltro?

—Aquí está mi lupa. Usted conoce mis métodos. ¿Qué puede deducir de la personalidad del individuo que ha usado esta prenda?

Cogí en mis manos la cochambrosa prenda y le di vueltas más bien tristemente. Era un sombrero negro, vulgar y corriente, con la forma abombada de costumbre, duro y muy desgastado por el uso. El forro había sido de seda roja, pero estaba muy descolorido. No había referencia alguna relativa al nombre del fabricante; pero, como Holmes había observado, las iniciales «H.B.» habían sido garrapateadas en un lado. Tenía el ala perforada por un fiador, pero el cordón elástico había desaparecido. Por lo demás, estaba ajado, cubierto de polvo y manchado en diversos puntos, aunque parecía que habían intentado disimular los trozos descoloridos cubriéndolos de tinta.

—No consigo ver nada —dije, devolviéndoselo a mi amigo.

—Al contrario, Watson, puede usted verlo todo. Sin embargo, le falta razonar a partir de lo que ve. Es demasiado tímido para sacar sus conclusiones.

—Entonces, le ruego que me diga qué ha deducido usted de este sombrero.

Holmes lo cogió, y lo examinó de la peculiar forma introspectiva que le era característica.

—Quizá sea menos sugerente de lo que hubiera podido ser —observó—. Con todo hay unas cuantas deducciones que resultan muy claras, y otras cuantas que, como mínimo, indican un importante porcentaje de posibilidades. Naturalmente, por el aspecto del sombrero resulta obvio que el hombre es muy intelectual y también que en los últimos tres años gozó de una posición desahogada, aunque ahora está pasando una mala época. Era un hombre previsor, pero hoy lo es menos que antaño, y tiende a una degradación moral que, unida al declive de su fortuna, parece indicar alguna maligna influencia sobre sí, probablemente la bebida. Esto podría explicar también el hecho evidente de que su mujer ha dejado de quererle.

—¡Mi querido Holmes!

—Sin embargo, ha conservado cierto grado de respeto hacia sí mismo —continuó él, sin hacer caso de mi protesta—. Es hombre que lleva una vida sedentaria, sale poco, está en baja forma, es de mediana edad, tiene grises los cabellos, que se ha cortado en los últimos días, y se los unta con fijapelo. Estos son los hechos más patentes que se deducen de este sombrero. Y, a propósito, también es en extremo improbable que en su casa tengan instalación para la luz de gas.

—Seguro que está usted bromeando, Holmes.

—Ni lo más mínimo. ¿Será posible que incluso ahora, después de haberle dado los resultados, sea usted incapaz de ver cómo los he conseguido?

—No tengo la menor duda de que soy muy estúpido, pues reconozco que soy incapaz de seguirle a usted. Por ejemplo, ¿cómo ha deducido que este hombre era un intelectual?

Por toda respuesta Holmes se encasquetó el sombrero en la cabeza. Se le deslizó frente abajo hasta detenerse en el puente de la nariz.

—Es una cuestión de capacidad craneana —dijo—. Un hombre con una cabeza tan grande ha de tener algo dentro.

—Y el declinar de su fortuna, ¿qué?

—Este sombrero tiene tres años. Fue entonces cuando aparecieron estas alas planas curvadas por el borde. Es un sombrero de la mejor calidad. Fíjese en la cinta con ribete de seda y en la excelencia del forro. Si este hombre pudo comprarse un sombrero tan caro tres años atrás y, desde entonces, no se ha comprado otro, es que seguramente ha venido muy a menos.

—Bien, esto queda bastante claro. Pero ¿qué hay de que fuera previsor y de la degradación moral?

Sherlock Holmes se echó a reír.

—Aquí tiene la previsión —dijo, colocando un dedo sobre el pequeño disco y la presilla del fiador—. Nunca lo venden con el sombrero. Si este individuo encargó uno, es signo de determinada capacidad de previsión, ya que se desvió de su ruta para adquirir esta precaución contra el viento. Pero desde el momento en que vemos que, cuando se rompió el elástico, no se tomó la molestia de sustituirlo, es obvio que ahora se ha vuelto menos previsor que antes, lo cual constituye una clara prueba de debilitamiento de su carácter. Por otro lado, se ha esforzado en disimular algunas de las manchas del fieltro cubriéndolas con tinta, lo que es signo de que no ha perdido del todo el respeto hacia sí mismo.

—Su razonamiento es en verdad plausible.

—Los detalles que quedan: que es de mediana edad, que tiene gris el cabello, que se lo ha cortado recientemente y que usa fijapelo, todo ello se deduce de un detenido examen de la parte inferior del forro. La lupa descubre abundantes puntas de cabello, netamente cortadas por las tijeras del barbero. Todas parecen pegajosas, y se percibe un inconfundible olor a fijapelo. El polvo, como usted observará, no es el polvo terroso y gris de la calle, sino el polvo pardo y a modo de pelusa de las casas, lo que demuestra que este sombrero se ha pasado la mayor parte del tiempo colgado dentro de la misma; mientras que las huellas de sudor de su interior son una prueba positiva de que quien lo lleva transpira muy abundantemente y, por lo mismo, mal puede estar en la mejor forma física.

—Pero usted ha dicho que su mujer... ha dejado de quererle.

—Este sombrero hace semanas que no ha sido cepillado. Cuando le vea a usted, mi querido Watson, con el polvo de semanas acumulado en su sombrero, y cuando su mujer le permita salir en tal estado, también temeré que haya sido usted lo suficientemente infortunado como para perder el afecto de su esposa.

—Pero puede ser soltero.

—No. Llevaba a su casa el ganso como una ofrenda de paz para su esposa. Acuérdese del cartoncito atado a la pata del ave.

—Tiene usted respuesta para todo. Pero, ¿cómo diablos ha deducido que en su casa no tienen instalación para la luz de gas?

—Una mancha de sebo, e incluso dos, pueden caer por casualidad; pero, al ver por lo menos cinco, pienso que no caben apenas dudas de que el individuo está con frecuencia en contacto con sebo ardiendo... probablemente al subir las escaleras por la noche, con su sombrero en una mano y una vela goteante en la otra. En cualquier caso, jamás podría mancharse de sebo con una llama de gas. ¿Satisfecho?

—Bueno, es muy ingenioso —dije yo, riendo—; pero ya que, como usted acaba de decir, no se ha cometido ningún crimen y no se ha causado perjuicio alguno, salvo la pérdida del ganso, todo este esfuerzo me parece más bien un derroche de energía.

Sherlock Holmes había abierto la boca para replicar, cuando de repente la puerta se abrió de golpe y Peterson, el conserje, irrumpió en la habitación con las mejillas encendidas y la cara de un hombre aturdido de asombro.

—¡El ganso, señor Holmes! ¡El ganso, señor! —dijo jadeando.

—¡Eh! ¿Qué le pasa al ganso? ¿Ha resucitado y ha echado a volar por la ventana de la cocina?

Holmes giró en redondo en el sofá para ver mejor la cara de excitación del hombre.

—¡Mire, señor! ¡Mire usted lo que mi mujer le ha encontrado en el buche!

Extendió la mano y nos mostró, en el centro de la palma, una piedra azul que centelleaba brillantemente, bastante más pequeña que una judía seca, pero de tal pureza y esplendor que relucía como una chispa eléctrica en el oscuro hueco de su mano.

Sherlock Holmes se puso en pie con un silbido.

—Caramba, Peterson, ¡esto es un tesoro! ¿Supongo que sabe usted lo que ha encontrado?

—¡Un diamante, señor! ¡Una piedra preciosa! Corta el cristal como si fuera mantequilla.

—Es algo más que una piedra preciosa. Es *la* piedra preciosa.

—¿No será el carbunclo azul de la condesa de Morcar? —proferí yo.

—Precisamente sí. Dado que todos estos días he leído el anuncio de *The Times*, puedo reconocer su tamaño y su forma. Es absolutamente único, y sobre su valor sólo cabe hacer conjeturas; pero la recompensa de mil libras ofrecida sólo es, desde luego, una vigésima parte de su cotización en el mercado.

—¡Mil libras esterlinas! ¡Dios misericordioso! —el conserje se dejó caer en una silla y nos miró alternativamente a uno y a otro.

—Tal es la recompensa, y no me faltan motivos para pensar que, en el fondo, hay consideraciones sentimentales que inducirían a la condesa a entregar la mitad de su fortuna con tal de recuperar esta gema.

—Se perdió, si no recuerdo mal, en el Hotel Cosmopolitan —observé yo.

—En efecto, el 22 de diciembre. Hace exactamente cinco días. John Horner, un fontanero, fue acusado de haberla sustraído del joyero de la dama. Las pruebas contra él eran tan sólidas que el caso ya ha sido transferido a los tribunales. Creo que por aquí tengo algún reportaje.

Hurgó entre sus periódicos, mirando las fechas, hasta que al fin escogió uno, lo alisó y leyó el siguiente artículo.

Robo de joyas en el Hotel Cosmopolitan. John Horner, de 26 años, fontanero, ha sido detenido bajo la acusación de haber sustraído, el 22 del corriente, del joyero de la condesa de Morcar, la valiosa gema conocida como el carbunclo azul. James Ryder, jefe de personal, declaró que el día del robo hizo subir a Horner al vestidor de la condesa para que soldara la segunda barra de la rejilla de la chimenea, que estaba suelta. Ryder permaneció con Horner un rato, pero finalmente lo llamaron. Al volver se encontró con que el tal Horner había desaparecido, el escritorio había sido forzado y abierto, y el pequeño estuche de tafilete en el que, como se ha sabido después, solía guardar la condesa su joya, yacía vacío encima del tocador. Ryder dio instantáneamente la alarma, y Horner fue arrestado aquella misma tarde; pero la piedra no pudo ser encontrada sobre él ni en su habitación. Catherine Cusack, doncella de la condesa, declaró que ella había oído el grito de consternación de Ryder al descubrir el robo y que había corrido al cuarto, donde encontró las cosas tal y como éste las había descrito. El inspector Bradstreet, de la Sección B, declaró que había detenido a Horner, el cual luchó frenéticamente y manifestó en los términos más enérgicos que él era inocente. Al haberse presentado contra el detenido pruebas de que ya tenía antecedentes penales por robo, el magistrado se negó a tratar el caso sumariamente, y éste ha sido transferido a los tribunales. Horner, que durante el procedimiento dio muestras de intensa emoción, se desmayó al concluir el mismo y tuvo que ser sacado de la sala.

—¡Hum! ¡Se acabó el trabajo de la policía! —dijo Holmes, pensativo, arrojando su periódico a un rincón—. La cuestión que ahora nos toca resolver a nosotros es la serie de acontecimientos que, por un lado, parte de un joyero saqueado, y, por otro, acaba en el buche de un ganso en Tottenham Court Road. Ve usted, Watson, nuestras pequeñas deducciones han asumido de repente un cariz mucho más importante y menos inocente. Aquí está la piedra; la piedra viene del ganso y el ganso viene del señor Henry Baker, el caballero con cuyo maltrecho sombrero ya le he aburrido a usted. Así pues, ahora hemos de prepararnos muy en serio para encontrar a ese caballero y averiguar qué papel ha desempeñado en este pequeño misterio. Para ello, deberemos recurrir primero

—¡Mire, señor! ¡Mire lo que mi mujer ha encontrado!

a los medios más sencillos, que indudablemente se reducen a un anuncio puesto en todos los diarios de la tarde. Si esto falla, tendré que recurrir a otros métodos.

—¿Qué va a decir usted en el anuncio?

—Denme un lápiz y aquel trozo de papel. Veamos, pues: «Encontrados en la esquina de Goodge Street, un ganso y un sombrero negro de fieltro. El señor Henry Baker puede recuperarlos acudiendo a las 6.30 de la tarde al 221 B de Baker Street.» Es claro y conciso.

—Mucho. Pero, ¿lo leerá él?

—Bueno, seguro que echará un vistazo a los periódicos, ya que, para un hombre pobre como él, fue una pérdida importante. Es evidente que estaba tan asustado por la mala suerte de haber roto el escaparate, y porque Peterson se acercaba, que no pensó en otra cosa que en huir; pero de entonces acá debe de haberse reprochado muchas veces, y amargamente, el impulso que le llevó a perder su ganso. Además, la mención de su nombre hará que vea el anuncio, porque todo aquel que le conozca le llamará la atención sobre el mismo. Tenga, Peterson, corra usted a la agencia de anuncios y ponga éste en los periódicos de la tarde.

—¿En cuáles, señor?

—Oh, en el *Globe, Star, Pall Mall, St. James Gazette, Evening Post, Standard, Echo*, y cualquier otro que se le ocurra a usted.

—Muy bien, señor. ¿Y la piedra?

—Ah, sí. Yo guardaré la piedra. Gracias. Y, Peterson, al volver, compre usted un ganso y tráigamelo aquí, porque, digo yo, habrá que tener uno a mano para dárselo a dicho caballero en lugar del que su familia de usted está a punto de devorar.

Cuando el conserje se hubo ido, Holmes cogió la piedra y la sostuvo contra la luz.

—Es algo magnífico —dijo—. Mire cómo brilla y centellea. Por descontado es causa y objeto de crímenes. Toda buena piedra preciosa lo es. Son el cebo favorito del demonio. En las joyas más grandes y más antiguas cada faceta representa un hecho sangriento. Esta piedra aún no tiene veinte años. Fue encontrada a orillas del río Amoy, en la China del Sur, y es notoria por poseer todas y cada una de las características del carbunclo, salvo en la tonalidad, que, en lugar de ser roja, como en los rubíes, es azul. A despecho de su juventud, ya cuenta con una historia siniestra: dos asesinatos, dos lanzamientos de vitriolo, un suicidio y varios robos, todo a cuenta de sus veinticuatro gramos de carbono cristalizado. ¿Quién diría que una bagatela tan bonita puede abastecer horcas y cárceles? Ahora la encerraré en mi caja fuerte y le pondré unas líneas a la condesa para decirle que la tenemos nosotros.

—¿Cree usted que ese tal Horner es inocente?

—No podría decírselo.

—Bien, entonces, ¿supone usted que ese otro, Henry Baker, tuvo algo que ver con el asunto?

—Es mucho más verosímil, creo yo, que Henry Baker sea un hombre absolutamente inocente, que no tenía ni idea de que el ave que estaba acarreando tuviera un valor mucho más considerable que si fuera de oro macizo. Cosa que, sin embargo, determinaré por medio de una sencilla prueba, si tenemos respuesta a nuestro anuncio.

—¿Y no puede hacer nada hasta entonces?

—Nada.

—En tal caso, yo seguiré con mis visitas a domicilio. Pero volveré por la tarde, a la hora que usted ha señalado, porque me gustaría ver cómo se soluciona este asunto tan complicado.

—Me ha encantado verle. Yo ceno a las siete. Creo que hay becada. A propósito, en vista de los recientes acontecimientos quizá debería decirle a la señora Hudson que le inspeccionara el buche.

Uno de mis pacientes me retrasó y cuando me encontré una vez más en Baker Street eran poco más de la seis y media. Al aproximarme a la casa vi a un hombre alto, con gorra escocesa y una levita abotonada hasta la barbilla, aguardando fuera, bajo el luminoso semicírculo que surgía del montante de la puerta. En el momento en que yo llegaba, se abría ésta y fuimos conducidos juntos a las habitaciones de Holmes.

—El señor Baker, supongo —dijo aquél, levantándose de su sillón y saludando a su visitante con el espontáneo aire de afabilidad que tan fácilmente podía asumir—. Por favor, señor Baker, siéntese en esa silla junto al fuego. La noche es fría y observo que su circulación sanguínea se adapta mejor al verano que al invierno. Ah, Watson, ha llegado usted en el momento preciso. ¿Es éste su sombrero, señor Baker?

—Sí, señor, indudablemente es mi sombrero.

Era un individuo corpulento, cargado de espaldas, de cabeza maciza y cara ancha e inteligente, la cual iba estrechándose hasta acabar en una barbita puntiaguda, de un gris castaño. Un toque rojizo en la nariz y en las mejillas, más un ligero temblor de la mano extendida, recordaban las deducciones de Holmes respecto a sus costumbres. Su levita, de un negro pardusco, estaba abrochada por delante hasta arriba, con el cuello levantado, y sus flacas muñecas sobresalían de las mangas, sin señales de puños o de camisa. Hablaba bajo y entrecortado, escogiendo con cuidado las palabras, y daba la impresión general de ser un hombre culto y de letras maltratado por la fortuna.

—Hemos guardado estas cosas durante unos días —dijo Holmes—, porque esperábamos ver algún anuncio puesto por usted proporcionándonos su dirección. Ahora estoy impaciente por saber por qué no lo ha puesto.

Nuestro visitante lanzó una risa más bien avergonzada.

—Ultimamente no ando tan sobrado de chelines como lo estuve tiempo atrás. No tenía la menor duda de que la banda de matones que me asaltó se había llevado ambas cosas, el sombrero y el ave. No quise gastar más dinero en un desesperado intento de recuperarlos.

—Naturalísimo. A propósito, respecto al ave... nos hemos visto obligados a comérnosla.

—¡A comérsela!

Llevado de la excitación, nuestro visitante medio se levantó de la silla.

—Sí, de no haberlo hecho nosotros no hubiera servido para nadie. Pero, ¿imagino que ese otro ganso que está sobre el aparador, pesa más o menos lo mismo y está perfectamente fresco, servirá igualmente para sus propósitos?

—¡Oh, desde luego, desde luego! —contestó el señor Baker, con un suspiro de alivio.

—Todavía conservamos las plumas, las patas, el buche, etc., del otro, si es que usted los quiere...

El hombre estalló en una cordial carcajada.

—Sólo me servirían de reliquias de mi aventura —dijo—. Aparte de eso, no se me ocurre qué otro servicio podrían prestarme los *disjecta membra*, dispersos miembros, de mi difunto amigo. No, señor, creo que, con su permiso, pondré toda mi atención en la excelente ave que veo encima del aparador.

Sherlock Holmes me lanzó una mirada penetrante, al tiempo que se encogía de hombros.

—En tal caso, aquí tiene usted su sombrero y aquí su ganso. A propósito, ¿le importaría decirme dónde consiguió el otro? Yo soy bastante aficionado a las aves y raras veces he visto un ganso tan bien criado.

—Desde luego, señor —dijo Baker, que se había levantado y se había colocado bajo el brazo su propiedad recién adquirida—. Somos unos cuantos los que frecuentamos la Posada Alpha, cerca del Museo... Durante el día, comprende usted, nos encontrará dentro del Museo. Este año, nuestro buen posadero, llamado Windigate, fundó el club del ganso, gracias al cual y pagando cada semana unos pocos peniques, recibiríamos un ave por Navidad. Yo pagué mis peniques con regularidad, y el resto ya lo conoce. Estoy en deuda con usted, señor.

Con cómica pomposidad de maneras se inclinó solemnemente ante ambos, y se alejó a grandes zancadas siguiendo su camino.

—¡Se acabó con el señor Henry Baker! —dijo Holmes, cuando hubo cerrado la puerta tras él—. Seguro que no sabe nada en absoluto del asunto. ¿Tiene usted apetito, Watson?

—No especialmente.

—Entonces sugiero que convirtamos nuestra cena en un resopón, y vayamos tras esa pista mientras aún está caliente.

—¡Encantado!

Era una noche inhóspita, por lo que nos embutimos en nuestros abrigos rusos y nos ceñimos los cuellos con bufandas. Fuera, las estrellas titilaban fríamente en un cielo sin nubes, y el aliento de los transeúntes se transformaba en un vaho semejante al humo de disparos de pistola. Nuestras pisadas sonaban crujientes y ruidosas mientras cruzábamos el barrio de los médicos, Wimpole Street, Harley Street y, a través de Wingmore Street, hasta Oxford Street. En un cuarto de hora, estuvimos en Bloomsbury, en la Posada Alpha, que es una pequeña taberna situada en la esquina de una de las calles que descienden hacia Holborn. Holmes empujó la puerta del bar y pidió dos jarras de cerveza al dueño, de cara roja y mandil blanco.

—¡Su cerveza —dijo— ha de ser excelente, si es tan buena como sus gansos!

—¡Mis gansos!

El hombre parecía sorprendido.

—Sí. No hace ni media hora que estaba hablando con el señor Henry Baker, que es miembro del club del ganso.

—¡Ah, sí, ya caigo! Pero sepa usted, señor, que aquellos gansos no eran nuestros.

—¿No? ¿De quién, entonces?

—Pues le compré las dos docenas a un tendero del mercado de Covent Garden.

—¿De verdad? Conozco a algunos. ¿A cuál fue?

—Se llama Breckinridge.

—Ah, no le conozco. Bueno, a su salud, posadero, y por la prosperidad de la casa. ¡Buenas noches!

—Ahora a por el señor Breckinridge —prosiguió, abrochándose el abrigo, mientras salíamos al aire helado de la calle—. Recuerde, Watson, que, aunque en un extremo de la cadena tenemos algo tan vulgar como un ganso, en el otro extremo se encuentra un hombre que, a buen seguro, será condenado a siete años de trabajos forzados, a menos que nosotros logremos establecer su inocencia. Es posible que nuestras investigaciones no hagan sino confirmar su culpabilidad; pero, en cualquier caso, nosotros contamos con un hilo a seguir que la policía ignora y que una suerte singular ha puesto en nuestras manos. Sigámoslo cueste lo que cueste. ¡De frente al sur y paso ligero!

Atravesamos Holborn, tiramos por Endell Street y, a través de un zigzag de barrios pobres, llegamos al mercado de Covent Garden. Una de las tiendas más grandes llevaba en lo alto el nombre de Breckinridge y el dueño, un hombre de aspecto caballuno, con el rostro afilado y las patillas cortas, estaba ayudando a un muchacho a colocar los postigos.

—Buenas tardes, es una noche muy fría —dijo Holmes.

El hombre asintió con la cabeza y lanzó a mi acompañante una mirada inquisitiva.

—Veo que ha vendido usted todos los gansos —continuó Holmes, señalando los vacíos mostradores de mármol.

—Mañana por la mañana tendrá usted quinientos.

—Demasiado tarde.

—Bien, quedan algunos en aquel puesto con luz de gas.

—Sí, pero yo vengo recomendado a usted.

—¿Por quién?

—Por el dueño de Alpha.

—Ah, sí, le vendí un par de docenas.

—Eran unos gansos espléndidos. ¿De dónde los sacó usted?

Para mi sorpresa, la pregunta provocó en el tendero un estallido de ira.

—Venga, señor —dijo, irguiendo la cabeza y con los brazos en jarras—, ¿a dónde quiere usted ir a parar? Las cosas claras.

—Están clarísimas. Deseo saber quién le vendió los gansos que usted suministró a Alpha.

—Pues bien, no se lo diré. Y ahora...

—¡Oh, no tiene importancia! Pero no comprendo por qué se acalora tanto por una pequeñez.

—¡Acalorarme! También se acaloraría usted, quizá, si le importunaran como a mí. Cuando yo pago un buen dinero por un buen artículo, ahí debería acabar el negocio. Pues no, dale con «¿Dónde están los gansos?» y con «¿A quién le ha vendido usted los gansos?» y con «¿Cuánto cobró por los gansos?». A juzgar por el barullo que han armado con ellos, se diría que eran los únicos gansos del mundo.

—Bueno, yo no tengo nada que ver con los que hayan estado haciendo averiguaciones —dijo Holmes, con negligencia—. Si usted se niega a decírmelo, se anula la apuesta y en paz. Pero yo siempre estoy dispuesto a defender mis opiniones en materia de volatería, y he apostado un billete de cinco libras a que el ganso que he comido estaba criado en el campo.

—¡Ahora a por el Sr. Breckinridge!

—Pues entonces ha perdido sus cinco libras, porque estaba criado en la ciudad —le espetó el tendero.

—Ni muchísimo menos.

—Le digo a usted que sí.

—No le creo.

—¿Quiere decir que entiende usted de aves más que yo, que trato con ellas desde que era un chiquillo? Le repito a usted que todos los gansos que envié a Alpha estaban criados en la ciudad.

—Nunca me convencerá de que le crea.

—¿Se apuesta algo, entonces?

—Sería como robarle el dinero, porque yo sé que tengo razón. Pero le apostaré un soberano, sólo para enseñarle a no ser terco.

El tendero se rió entre dientes de un modo inexorable.

—Tráeme los libros, Bill —dijo.

El muchacho trajo al punto un libro pequeño y delgado y otro de tapas grasientas y grueso, y los colocó juntos bajo la lámpara colgante.

—Veamos, don Presuntuoso —dijo el tendero—. Yo creí que se me habían terminado los gansos, pero antes de que yo concluya se encontrará usted con que todavía me queda uno en la tienda. ¿Ve usted este libro pequeño?

—Sí. ¿Y qué?

—Contiene la lista de la gente a quienes yo compro. ¿Ve usted? Pues bien, en esta página figuran los nombres de los campesinos y, a continuación, un número que indica dónde está su contabilidad en el libro grueso. Ahora bien, ¿ve usted esta otra página en tinta roja? Es la lista de mis proveedores de la ciudad. Mire el tercer nombre. Léamelo en voz alta.

—«Señora Oakshott, 117 Brixton Road: 249» —leyó Holmes.

—Exacto. Ahora busque usted ese número en el libro mayor.

Holmes buscó la página indicada.

—Aquí está. «Señora Oakshott, 117 Brixton Road, proveedora de huevos y aves.»

—Y ahora, ¿cuál es la última entrada?

—«Diciembre, 22. Veinticuatro gansos a 7 chelines y 6 peniques.»

—Exacto. Ahí lo tiene usted. ¿Y debajo?

—«Vendidos al señor Windigate de Alpha a 12 chelines.»

—¿Qué me dice usted ahora?

Sherlock Holmes parecía profundamente pesaroso. Se sacó un soberano del bolsillo y lo arrojó sobre el mostrador, volviéndose con el aire del hombre cuyo disgusto es demasiado profundo para hablar. Unas cuantas yardas más allá se detuvo bajo un farol y se echó a reír cordial y silenciosamente, como era característico en él.

—Cuando vea un hombre con las patillas cortadas así y un boletín de apuestas, sobresaliéndole del bolsillo, siempre logrará arrastrarlo a una apuesta. Me atrevo a afirmar que si yo le hubiese puesto delante cien libras no me hubiera proporcionado información tan completa como sonsacándosela bajo la idea de que me estaba ganando una apuesta. Bueno, Watson, creo que nos estamos acercando al final de nuestra búsqueda y que el único punto que nos queda por decidir es si iremos esta noche a ver a la señora Oakshott o si lo dejaremos para mañana. Es evidente que, a juzgar por lo que nos ha dicho ese hosco individuo, además de nosotros hay otros tipos preocupados por el asunto. Y yo diría que...

Sus comentarios fueron interrumpidos de repente por una gran batahola que estalló en la tienda que acabábamos de abandonar. Al volvernos, vimos, de pie en el centro del círculo de luz amarillenta que arrojaba la lámpara colgante, a un individuo con cara de ratón. Encuadrado en el marco de la puerta de su tienda, Breckinridge, el tendero, alzaba los puños amenazadoramente hacia la servil figura del otro.

—Ya estoy harto de usted y de sus gansos —gritaba—. ¡Ojalá se los lleve el diablo a todos juntos! Si vuelve usted a fastidiarme otra vez con sus necias preguntas, le soltaré el perro. Tráigame a la señora Oakshott y le contestaré a ella; pero, ¿qué tiene usted que ver con esto? ¿Le compro yo los gansos a usted?

—No, pero, de todos modos, uno de ellos me pertenecía— gimoteó el hombrecillo.

—Entonces pregúntele a la señora Oakshott por él.

—Ella me ha dicho que le pregunte a usted.

—¡Por mí como si quiere preguntarle al rey de Prusia! Ya estoy harto. ¡Largo de aquí!

Se abalanzó furiosamente hacia adelante y el que le preguntaba se perdió a la chita callando en la oscuridad.

—He aquí —susurró Holmes— que esto nos ahorra una visita a Brixton Road. Sígame usted y veremos qué se le puede sacar a ese individuo.

Abriéndose paso por entre la gente que, en grupos dispersos, se apretujaba ante los puestos iluminados, mi compañero alcanzó rápidamente al hombrecillo y le tocó en la espalda. Este se volvió en redondo, y a la luz del gas pude ver que de su cara había desaparecido todo rastro de color.

—¿Quién es usted? ¿Qué quiere? —preguntó con voz trémula.

—Perdone —dijo Holmes, suavemente—, pero no he podido evitar oír lo que acaba de preguntarle ahora mismo a aquel tendero. Creo que yo podría serle útil.

—¿Usted? ¿Quién es usted? ¿Qué puede saber usted del asunto?

—Me llamo Sherlock Holmes. Y mi trabajo consiste precisamente en saber lo que los demás no saben.

—Pero, ¿sabe algo de todo esto?

—Discúlpeme, lo sé todo. Está usted empeñado en seguir el rastro de un ganso que la señora Oakshott, de Brixton Road, le vendió a un hombre llamado Breckinridge, y que éste a su vez vendió al señor Windigate, de la Posada Alpha, y éste a su club, del que el señor Henry Baker es miembro.

—Oh, caballero, es usted el hombre que llevo tanto tiempo ansiando encontrar —exclamó el pequeño individuo, con las manos extendidas y los dedos temblorosos—. A duras penas puedo explicarle lo interesado que estoy en el asunto.

Sherlock Holmes llamó a un carruaje que pasaba.

—En ese caso, lo discutiremos mejor en una habitación acogedora que en esta plaza de mercado azotada por el viento —dijo—. Pero le ruego que, antes de seguir adelante, me diga a quién tengo el placer de ayudar.

El hombre dudó un instante.

—Me llamo John Robinson —contestó, mirándonos de soslayo.

—No, no, el nombre verdadero —dijo Holmes, con suavidad—. Siempre resulta incómodo hacer negocios con un alias.

A las pálidas mejillas del desconocido fluyó el rubor.

—Bueno —dijo—, mi verdadero nombre es James Ryder.

—Eso sí. Jefe de personal del Hotel Cosmopolitan. Le ruego que suba al coche, y pronto estaré en condiciones de decirle todo lo que desea saber.

El hombrecillo permaneció de pie, lanzándonos miradas a uno y a otro con ojos entre atemorizados y esperanzados, como quien no se halla muy seguro de si está al borde de un golpe de suerte o de una catástrofe. Luego subió al coche y, al cabo de media hora, estábamos de vuelta en la sala de estar de Baker Street. Durante nuestro viaje no se había pronunciado palabra, pero la profunda y leve respiración de nuestro nuevo acompañante, y el enlazar y desenlazar de sus dedos, hablaban de su tensión nerviosa.

—¡Ya hemos llegado! —dijo Holmes, jovialmente, conforme íbamos entrando en la salita—. Con este tiempo, el fuego resulta muy apropiado. Tiene usted aspecto de estar helado, señor Ryder. Le ruego que se siente en la silla de mimbre. Yo me pondré mis zapatillas antes de discutir este asuntillo suyo. ¡Ya está! ¿Desea usted saber qué se hizo de aquellos gansos?

—Sí, señor.

—O, mejor dicho, creo yo, de aquel ganso. A usted sólo le interesa un ave... blanca, con una franja cruzándole la cola.

Ryder se estremeció de emoción.

—Oh, caballero —exclamó—, ¿puede decirme adónde fue a parar?

—Aquí.

—¿Aquí?

—Sí, y resultó el ave más sorprendente. No me admira que usted se interesase por ella. Después de muerta, puso un huevo... el huevecillo más bello y brillante que se haya visto jamás. Lo tengo yo, aquí, en mi museo.

Nuestro visitante, puesto en pie, se tambaleó y con la mano derecha se asió a la repisa de la chimenea. Holmes abrió su caja fuerte y mostró el carbunclo azul, que brilló como una estrella, con destellos múltiples, fríos y resplandecientes. Ryder, de pie, lo miraba con el rostro descompuesto, dudando si reclamarlo o rechazarlo.

—El juego ha terminado, Ryder —dijo Holmes, tranquilamente—. Agárrese, hombre, o acabará en el fuego. Dele el brazo, Watson, para que vuelva a su silla. Para cometer un delito sin temor al castigo, tiene sangre de horchata. Dele un poco de coñac. ¡Eso es! Ahora parece un poco más humano. ¡Por Dios, que es un desastre!

Ryder se había tambaleado un momento y a punto estuvo de caer sin sentido; pero el coñac había devuelto un poco de color a sus mejillas y, habiéndose sentado, miraba con ojos de espanto a su acusador.

—Tengo en mis manos casi todos los eslabones, y todas las pruebas que pueda necesitar, así que poco es lo que tendrá usted que decirme. Con todo, también ese poco ha de aclararse para completar el caso. Ryder, ¿había usted oído hablar de esta gema azul de la condesa de Morcar?

—Fue Catherine Cusack la que me habló —dijo aquél con la voz quebrada.

—Ya veo. La doncella de su señoría. De pronto la tentación de una riqueza tan fácilmente adquirida fue demasiado para usted, como lo había sido antes para hombres mucho mejores; pero al emplear los medios que ha empleado, no ha sido usted demasiado escrupuloso. Me parece, Ryder, que posee usted todos los ingredientes para ser un miserable de cuidado. Usted se enteró de que ese individuo, Horner, el fontanero, había estado involucrado antes en un caso por el estilo y pensó que las sospechas recaerían rápidamente en él. ¿Qué hizo entonces? Llevó a cabo un trabajito en las habitaciones de la dama..., usted y su cómplice, la Cusack... Y se las arregló para que enviaran a ese hombre. Luego, cuando éste se hubo ido, saqueó usted el joyero, dio la alarma e hizo que arrestaran a ese desdichado. Entonces...

Ryder se arrojó de repente sobre la alfombra y se aferró a las rodillas de mi compañero.

—¡Por el amor de Dios, tenga piedad! —gritó—. ¡Piense en mi padre! ¡En mi madre! ¡Les partiría el corazón! ¡Hasta ahora nunca había hecho nada malo! ¡No volveré a hacerlo nunca! Lo juro. Lo juro sobre la Biblia. ¡No lleve el caso ante los tribunales! ¡Por el amor de Cristo, no lo haga!

—¡Vuelva a su silla! —dijo Holmes, con dureza—. Es muy cómodo rebajarse y arrastrarse ahora; pero entonces no pensó usted en absoluto en el pobre Horner, sentado en el banquillo de los acusados, por un crimen del que nada sabe.

—Desapareceré, señor Holmes. Abandonaré el país, señor. Así los cargos contra él quedarán en nada.

—¡Hum! Ya hablaremos de eso. Y ahora permítame oír el acto siguiente. ¿Cómo fue a parar la piedra al ganso y cómo llegó el ganso al mercado? Díganos la verdad, porque en ella está su única esperanza de salvación.

Ryder se pasó la lengua por los labios resecos.

—Les explicaré lo que pasó exactamente —dijo—. Cuando Horner fue arrestado, me pareció que lo mejor que yo podía hacer era huir con la piedra sin pérdida de tiempo, porque no sabía en qué momento se le pasaría por la cabeza a la policía registrarme a mí y mi habitación. En el hotel no había lugar donde la piedra estuviera a salvo. Salí, como si fuera a un recado, y me encaminé a casa de mi hermana. Ella está casada con un individuo llamado Oakshott y vive en Brixton Road, donde cría aves para el mercado. Durante el camino, todo hombre con el que me cruzaba me parecía un policía o un detective, y, siendo una noche muy fría, cuando llegué a Brixton Road el sudor me corría por la cara. Mi hermana me preguntó qué pasaba y por qué estaba tan pálido; pero le dije que me hallaba trastornado por culpa del robo de una joya en el hotel. Después salí al patio trasero, me fumé una pipa y me pregunté qué era lo mejor que podía hacer.

»Yo tuve una vez un amigo llamado Maudsley, que tiró por el mal camino, y estuvo un tiempo cumpliendo condena en Pentonville. Un día me encontró y dimos en hablar de los métodos de los ladrones y de cómo se desembarazan de lo que roban. Yo sabía que me sería leal, porque yo conocía una o dos cosas sobre él, así que decidí ir a Kilburn, donde vive, y confiarme a él. El me enseñaría cómo convertir la piedra en dinero. Pero, ¿cómo llegar sano y salvo? Pensé en las angustias que había pasado viniendo del hotel. En cualquier momento podía ser detenido y registrado, y la joya estaría allí, en el bolsillo de mi chaleco. En aquel momento me hallaba recostado contra la pared, mirando los gansos, que anadeaban alrededor de mis pies, y de pronto se me vino a la cabeza una idea que me sugería cómo podría burlar al mejor detective que jamás haya existido.

»Unas semanas antes, mi hermana me había dicho que, como regalo de Navidad, me daría el mejor de sus gansos, y yo estaba convencido de que ella siempre cumplía su palabra. Cogería, pues, ahora mismo mi ganso y trasladaría en él la piedra hasta Kilburn. En el patio había un cobertizo, a cuya parte de atrás conduje una de las aves, una hermosa y gorda, blanca con una franja en la cola. La cogí y, presionándole el pico por los lados hasta que lo abrió, le metí garganta abajo, tanto como pudieron mis dedos, la piedra preciosa. El animal tragó y yo noté cómo la gema pasaba por el gaznate y caía en el buche. Pero el animal aleteaba y se debatía, por lo que mi hermana salió a averiguar qué pasaba. Al girarme yo para hablar con ella, el ganso se me escapó y se confundió con los demás.

»—¿Qué estabas haciendo con ese ganso, Jem? —dijo ella.

»—Pues dije yo—, me prometiste que me darías uno por Navidad y estaba comprobando cuál era el más gordo.

»—Oh —dijo ella—, el tuyo ya lo tenemos escogido. Le llamamos el ganso de Jem. Es aquél, grande y blanco, de más allá. Hay veintiséis; o sea: uno para ti, uno para nosotros y dos docenas para el mercado.

»—Gracias, Maggie —dije yo—: pero, si te da lo mismo, prefiero el que tenía ahora entre las manos.

»—El otro pesa sus buenas tres libras más —dijo ella—, y lo hemos cebado expresamente para ti.

»—No importa. Prefiero aquél. Y me lo llevaré ahora.

»—Ah, como gustes —dijo ella, un punto molesta—. Entonces, ¿cuál es el que prefieres?

»—El blanco con la franja en la cola que está en medio de la bandada.

»—Muy bien. Mátalo y llévatelo.

»—Bueno, señor Holmes, hice lo que me dijo y cargué con el ave todo el camino hasta Kilburn. Le dije a mi compañero lo que había hecho, porque es hombre al que resulta fácil contarle una cosa así. Se rió hasta atragantarse, y con un cuchillo abrimos el ganso. La sangre se me heló en las venas, porque no había ni rastro de la piedra y comprendí que había cometido un error terrible. Dejé el ganso, volví corriendo a donde mi hermana y me precipité en el patio trasero. Allí no había ganso alguno que ver.

»—Maggie, ¿dónde están? —exclamé.

»—Se los ha llevado el tendero.

»—¿Qué tendero?

»—Breckinridge, del Covent Garden.

»—¿Por casualidad había otro con una franja en la cola? —pregunté—. ¿Igual al que yo escogí?

»—Sí, Jem, había dos con una franja en la cola y nunca pude distinguirlos.

»Entonces, como es lógico, lo vi todo claro y corrí lo más aprisa que pudieron mis pies a ver al tal Breckinridge; pero éste ya había vendido el lote entero y no quiso decirme una sola palabra respecto a dónde habían ido a parar. Ustedes le han oído esta noche. Siempre me ha contestado del mismo modo. Mi hermana cree que estoy volviéndome loco. A veces también yo mismo lo creo. Y ahora... ahora soy un ladrón reconocido, sin tan siquiera haber alcanzado la riqueza por la que traicioné mi modo de ser. ¡Que Dios me ayude! ¡Que Dios me ayude!

Y el hombre estalló en convulsos sollozos, con la cara oculta entre las manos.

Hubo un prolongado silencio, roto tan sólo por sus profundos suspiros y por el mesurado tamborileo de las puntas de los dedos de Sherlock Holmes en el borde de la mesa. Después mi amigo se levantó y abrió la puerta.

—¡Fuera!

—¿Qué, señor? ¡Oh, el cielo le bendiga!

—Ni una palabra más. ¡Fuera!

Y no hicieron falta más palabras.

Se oyó correr, un repiqueteo en los escalones, el golpe de una puerta y el precipitado sonido de unos pasos que se alejaban corriendo por la calle.

—Después de todo, Watson —dijo Holmes, alargando su mano hacia la pipa de arcilla—, yo no he sido contratado por la policía para subsanar sus fallos. Si Horner estuviera en peligro, sería otra cosa; pero este individuo no comparecerá y el caso quedará en suspenso. Creo que estoy cometiendo un delito, pero también es posible que esté salvando un alma. Este tipo no volverá a las andadas. Está terriblemente asustado. Envíele usted ahora a la cárcel y lo convertirá en carne de presidio para toda la vida. Además, estamos en unas fechas que invitan a perdonar.

—¿Qué estabas haciendo con ese ganso, Jem?

El azar ha puesto en nuestras manos un problema singular y extravagante, cuya recompensa es su propia solución. Si tiene usted la bondad de agitar la campanita, doctor, empezaremos otra investigación cuyo objeto principal también será un ave.

La Liga de los Pelirrojos

Un día de comienzos de verano del año pasado fui a visitar a mi amigo, el señor Sherlock Holmes, y me lo encontré en plena conversación con un caballero de cierta edad, muy corpulento, rubicundo de cara y de cabellera de un rojo intenso. Disculpándome por mi intromisión, iba a retirarme cuando Holmes me metió bruscamente en la habitación y cerró la puerta tras de mí.

—No podía usted llegar en mejor momento, mi querido Watson —dijo con cordialidad.

—Temía que estuviera usted ocupado.

—Y lo estoy. Ocupadísimo.

—En tal caso, puedo esperar en el cuarto de al lado.

—Ni hablar. Este caballero, señor Wilson, ha sido mi compañero y colaborador en muchos de los casos que mayor éxito han alcanzado, y no tengo la menor duda de que también en el suyo me será de gran ayuda.

El corpulento caballero medio se alzó de su silla y, al tiempo que con sus ojillos, hundidos en cercos de grasa, lanzaba una breve y rápida mirada inquisitiva, hizo una inclinación a modo de saludo.

—Pruebe usted el sofá —me dijo Holmes, dejándose caer de nuevo en su sillón y juntando las yemas de los dedos, como solía hacer cuando se disponía a reflexionar—. Sé, mi querido Watson, que comparte usted mi afición por todo lo que resulta raro y se sitúa al margen de los convencionalismos y de la monótona rutina de la vida cotidiana. Lo ha demostrado con el entusiasmo que le ha llevado a hacer de cronista, embelleciendo, a veces si se me permite decirlo, no pocas de mis pequeñas aventuras.

—Sus casos han sido para mí del mayor interés, en verdad —observé yo.

—Recordará usted que, hace unos días, le hice yo observar que para efectos extraños y combinaciones raras debíamos fijarnos en la vida misma, la cual siempre resulta mucho más osada que cualquier esfuerzo de la imaginación.

—Afirmación ésa de la que yo me tomé la libertad de dudar.

—En efecto, doctor, pero con todo tendrá que aceptar mi opinión, porque de otro modo iré amontonando sobre usted hecho tras hecho, hasta que su propio razonamiento se quiebre bajo tanto peso y usted reconozca que estoy en lo cierto. Pues bien, el señor Jabez Wilson, aquí presente, ha tenido a bien venir a verme esta mañana y ha comenzado a referirme un relato que promete ser de los más singulares que he oído en mucho tiempo. Usted me ha oído decir que las cosas más raras e insólitas están con frecuencia ligadas, no a los crímenes más grandes, sino a los más insignificantes y, ocasionalmente, incluso a casos en los que no existe razón alguna para sospechar que se haya cometido un auténtico crimen. Por lo que he podido escuchar hasta ahora, me resulta imposible decir si en el caso presente se ha cometido o no un delito, pero el desarrollo de los acontecimientos figura desde luego entre los más singulares que he escuchado. Tal vez tenga usted, señor Wilson, la enorme gentileza de volver a comenzar su relato. Se lo pido a usted no porque, simplemente, mi amigo el doctor Watson no haya oído el comienzo, sino también porque la peculiar naturaleza de la historia hace que yo me sienta ansioso de oír de sus labios toda clase de detalles. Por regla general, una vez he oído la más leve alusión relativa al curso de los acontecimientos, soy capaz de guiarme por los miles de casos similares que acuden a mi memoria. Pero en el presente caso me veo obligado a admitir que los hechos son, a mi entender, únicos.

El corpulento cliente hinchó el pecho con cierto aire de orgullo, y del bolsillo interior de su gabán sacó un periódico sucio y arrugado. Mientras él, con la cabeza inclinada hacia adelante y el periódico sobre sus rodillas, echaba una ojeada a la columna de anuncios, yo aproveché para observar bien al individuo y para esforzarme en interpretar, al modo de mi compañero, los indicios que pudieran deducirse de su ropa o de su aspecto.

Sin embargo, no saqué mucho de mi inspección. Nuestro visitante presentaba todas las características del comerciante inglés medio, vulgar y corriente, obeso, pomposo y flemático. Llevaba pantalones a cuadros grises y más bien con rodilleras, una levita negra no muy limpia, desabotonada por delante, y un chaleco de lana gruesa con una pesada cadena de latón, de la que, a modo de adorno, pendía una chapa de metal, cuadrada y taladrada. Un raído sombrero de copa y un descolorido gabán castaño, con arrugado cuello de terciopelo, yacían junto a él sobre una silla. En resumidas cuentas, tal como yo lo veía, no había en todo él nada de particular, salvo su brillante cabeza roja y la expresión de extremo disgusto y descontento de sus facciones.

La rápida mirada de Sherlock Holmes me sorprendió en mi tarea y, cuando se dio cuenta de que yo le miraba interrogativamente, sacudió la cabeza y sonrió:

—Aparte de los hechos evidentes de que en un tiempo el señor se dedicó a los trabajos manuales, de que tomó rapé, de que es francmasón, de que ha estado en China y de que últimamente ha escrito en cantidad, no puedo deducir nada más.

El señor Jabez Wilson se irguió en su silla, con el índice puesto en el periódico, pero con los ojos fijos en mi compañero.

—¿Cómo y a santo de qué sabe usted todo eso, señor Holmes? —preguntó—. ¿Cómo sabe usted, por ejemplo, que me dediqué a trabajos manuales? Es una verdad como un templo, porque empecé como carpintero.

—Sus manos, mi querido señor. Su mano derecha es casi un número mayor que la izquierda. Usted la ha usado para trabajar y sus músculos están más desarrollados.

—Bueno, ¿y lo del rapé y la francmasonería?

—No quisiera insultar a su inteligencia explicándole cómo he adivinado eso, en particular cuando usa usted un alfiler de corbata con un arco y un compás, emblemas de la Orden.

—¡Ah, claro! Lo había olvidado. Pero, ¿lo de escribir?

—¿Qué otra cosa puede indicar el hecho de que unas cinco pulgadas del puño derecho estén tan brillantes y de que la manga izquierda presente cerca del codo, allí donde la apoya usted contra la mesa, una zona desgastada?

—Bien, pero ¿y China?

—El pez que lleva usted tatuado encima de la muñeca derecha sólo puede haber sido hecho en China. Yo he realizado un pequeño estudio de los tatuajes y también he contribuido a incrementar la literatura sobre el tema. El detalle de teñir con un delicado color de rosa las escamas del pescado es completamente característico de China. Cuando, por añadidura, veo una moneda china colgando de la cadena de su reloj, la cosa se hace aún más sencilla.

El señor Jabez Wilson rió con fuerza.

—¡Jamás lo hubiera dicho, la verdad! —dijo—. Al principio, he creído que había realizado usted algo sorprendente, pero ahora veo que, después de todo, no era tan extraordinario.

—Comienzo a creer, Watson —dijo Holmes—, que es un error por mi parte dar explicaciones. Mi pobre y pequeña reputación, sea cual sea, acabará por naufragar si soy tan cándido. ¿No encuentra usted el anuncio, señor Wilson?

—Sí, ya lo tengo —contestó aquél, con su dedo, gordo y rojo, plantado en mitad de la columna—. Aquí está. Así empezó todo. Léalo usted mismo, señor.

Yo cogí el periódico de sus manos y leí lo que sigue:

> A LA LIGA DE LOS PELIRROJOS: Con cargo al legado del difunto Ezekiah Hopkins, de Lebanon, Pennsylvania, Estados Unidos, se ha producido otra vacante que da derecho a un miembro de la Liga a un salario de cuatro libras semanales a cambio de servicios puramente nominales. Todos los pelirrojos sanos de mente y de cuerpo, y de edad superior a los veintiún años, pueden optar al cargo. Presentarse personalmente el lunes, a las once de la mañana, a Duncan Ross, en las oficinas de la Liga, Pope's Court, n.º 7, Fleet Street.

—¿Qué diablos significa esto? —proferí yo, cuando hube leído por dos veces el extraordinario anuncio.

Holmes rió por lo bajo y se removió en su asiento como solía hacer cuando estaba de buen humor.

—Se sale un poco de los caminos trillados, ¿no? —dijo—. Y ahora, señor Wilson, colóquese en la línea de salida y cuéntenoslo todo sobre usted mismo, su familia y el efecto que este anuncio ha tenido sobre su fortuna. Antes, doctor, tome usted nota del periódico y de la fecha.

—Es *The Morning Chronicle* del 27 de abril de 1890. De hace dos meses, exactamente.

—Muy bien. Ahora usted, señor Wilson.

—Pues, como iba diciéndole a usted, señor Sherlock Holmes —dijo Jabez Wilson, enjugándose la frente—, yo poseo una pequeña casa de préstamos en Coburg Square, cerca de la City. No es un negocio importante, y en los últimos años sólo me ha dado lo justo para vivir. Yo solía tener dos ayudantes, pero ahora tengo uno solo; y trabajo me costaría pagarle si él no se conformara, a cambio de aprender el oficio, con la mitad del sueldo.

—¿Cómo se llama ese joven tan amable? —preguntó Holmes.

—Se llama Vincent Spaulding, y no es tan joven. Resulta difícil decir su edad. No querría yo otro ayudante más listo, señor Holmes. Y sé de sobras que, si él quisiera, podría mejorar de posición e incluso ganar el doble de lo que yo puedo pagarle. Pero, si él está satisfecho, ¿para qué voy a meterle otras ideas en la cabeza?

—¿Para qué, en efecto? Es usted más que afortunado al tener un empleado que trabaja por menos dinero del que se paga hoy en el mercado. En estos tiempos, no es cosa corriente entre los patronos. Me parece que su ayudante no es menos notable que ese anuncio.

—¡Oh, también tiene sus defectos! —dijo el señor Wilson—. Nunca he visto semejante entusiasmo por la fotografía. Se va por ahí con una cámara cuando debería quedarse para cultivar su mente, y luego se refugia en el sótano como un conejo en su madriguera a fin de revelar sus fotografías. Este es el principal de sus defectos; pero en conjunto es un buen trabajador. No tiene ningún vicio.

—Así pues, trabaja para usted.

—Sí, señor. El y una chica de catorce años, que cocina cosas sencillas y mantiene limpia la casa... Eso es todo lo que tengo, porque soy viudo y nunca tuve descendencia. Vivimos muy tranquilos los tres, señor. Y tenemos un techo que nos cubre y, si no nos pasamos de la raya, pagamos nuestras deudas.

»Lo primero que nos revolucionó fue el anuncio. Spaulding entró en la oficina, hoy hace exactamente ocho semanas, con este periódico en la mano, y dijo:

»—¡Quisiera Dios que yo fuera pelirrojo, señor Wilson!

»—¿Por qué? —pregunté yo.

»—¿Por qué? —dijo él—. Porque hay otra vacante en la Liga de los Pelirrojos. Lo que, para el que lo sea, equivale casi a una pequeña fortuna, y tengo entendido que hay más vacantes que hombres pelirrojos, por lo que los administradores están volviéndose locos sin saber qué hacer con el dinero. Si mi pelo cambiara de color, ya encontraría yo ahí un huequecito donde meterme.

»—¿Por qué? ¿De qué se trata, pues? —pregunté yo.

»Mire usted, señor Holmes, yo soy un hombre muy casero y, como el negocio ha de venir a mí en lugar de ir yo tras el negocio, me paso semanas enteras sin pisar siquiera el felpudo de la entrada. Así que no sé mucho de lo que sucede fuera y siempre me alegra recibir cualquier novedad.

»—¿Nunca ha oído usted hablar de la Liga de los Pelirrojos? —preguntó, abriendo los ojos.

»—Nunca.

»—¡Cómo! Es asombroso, siendo usted mismo elegible para una de las vacantes.

»—¿Y qué se gana con eso? —pregunté.

»—¡Oh, sencillamente un par de cientos de libras al año, pero sin apenas trabajar y sin que apenas se entorpezcan sus otras ocupaciones!

»Puede usted imaginar con facilidad que aquello me hizo agudizar el oído, porque el negocio llevaba dos años que no iba bien y un extra de un par de cientos de libras me habría venido muy bien.

»—Cuénteme todo lo que sepa —dije.

»—Bueno —dijo él, mostrándome el anuncio—, como usted mismo puede ver, en la Liga hay una vacante y aquí está la dirección a la que tiene usted que dirigirse para los detalles. Por lo que yo sé, la Liga fue fundada por un millonario norteamericano, Ezekiah Hopkins, hombre muy peculiar a su modo. El mismo era pelirrojo y sentía una gran simpatía por todos los hombres pelirrojos. Por ello, cuando murió, se encontraron con que había dejado su enorme fortuna en manos de unos albaceas, con la orden de emplear los intereses en proporcionar empleos fáciles a los hombres cuyo cabello fuera de ese color. Por lo que yo he oído, el sueldo es espléndido y hay muy poco que hacer.

»—Pero —dije yo—, habrá millones de pelirrojos dispuestos a presentarse.

»—No tantos como pueda usted suponer —respondió él—. Vea: en realidad se refiere a Londres y a hombres de determinada edad. Este norteamericano se marchó de Londres cuando era joven y quiso rendir un servicio a su antigua ciudad. Y también he oído decir que es inútil presentarse si el pelo de uno es rojo claro, o rojo oscuro, o de cualquier otro tono que no sea el auténtico, brillante, flamígero rojo ardiente. Ahora, señor Wilson, si le interesa presentarse, no tiene usted más que acudir. Aunque tal vez sea para usted demasiada molestia por unos pocos cientos de libras.

»El hecho es, caballeros, que, como ustedes mismos pueden comprobar, mi cabello es de un matiz muy intenso y brillante, tanto que me pareció que, si aquélla era una competición, yo tenía tantas posibilidades de ganarla como cualquier otro con quien me enfrentara. Vincent Spaulding parecía tan enterado de todo que yo pensé que podría serme de utilidad, así que le ordené que al punto cerrara los postigos por aquel día y que me acompañara de inmediato. Se mostró muy satisfecho de disponer de un día de fiesta, por lo que cerramos el negocio y partimos en pos de la dirección que nos indicaba el anuncio.

»Espero, señor Holmes, no volver a contemplar nunca un espectáculo como aquél. Todo hombre que tuviera un atisbo de rojo en sus ca-

En dicha escalera se había formado una doble corriente...

bellos se había encaminado, desde el norte, el sur, el este y el oeste, a la City para responder al anuncio. Fleet Street se hallaba obstruida por gente pelirroja y Pope's Court parecía el carro de un vendedor de naranjas. Nunca se me había ocurrido pensar que un solo anuncio pudiera congregar a tanta gente de todo el país. Allí estaban todos los matices de color: pajizo, limón, naranja, ladrillo, setter, hígado, arcilla; pero, como Spaulding dijera, no había muchos que poseyeran el auténtico tono color de llama intensa. Cuando vi cuántos eran los que aguardaban, estuve a punto de renunciar, pero Spaulding no quiso ni oír hablar de ello. No logro imaginar cómo se las arregló, pero empujando y apartando a codazos la multitud, me condujo directo a la escalera que llevaba a la oficina. En dicha escalera se había formado una doble corriente, la de los que subían esperanzados y la de los que bajaban decepcionados, pero nosotros nos situamos lo mejor que pudimos y no tardamos en hallarnos en la oficina.

—La suya fue una experiencia más que divertida —observó Holmes, mientras su cliente hacía una pausa y refrescaba su memoria con un descomunal pellizco de rapé—. Por favor, prosiga con su interesantísima historia.

—En la oficina no había sino un par de sillas de madera y una mesa de pino, tras la cual se sentaba un hombre menudo, con una cabeza más roja aún que la mía. Conforme iban llegando los candidatos, les decía unas palabras y al final siempre se las componía para encontrar algún fallo para descalificarlos. Ocupar una vacante no parecía cosa tan fácil, después de todo. Sin embargo, al llegar nuestro turno, el hombrecito se mostró más favorable frente a mí que frente a los demás, y así que entramos, a fin de poder sostener con nosotros unas palabras en privado, cerró la puerta.

»—Este es el señor Jabez Wilson —dijo mi ayudante— y aspira a ocupar la vacante de la Liga.

»—Para lo que está admirablemente dotado —contestó el otro—. Cumple todos los requisitos. No puedo recordar cuánto hace que no veía nada tan hermoso.

»Retrocedió un paso, inclinó la cabeza hacia un lado y observó mi cabellera, hasta que me ruboricé. Entonces, se abalanzó de repente hacia adelante, estrechó mi mano y me felicitó calurosamente por mi éxito.

»—Dudar sería una injusticia —dijo—. Con todo, usted me disculpará, estoy seguro, por tomar una precaución elemental.

»Dicho esto, asió mi cabello con las dos manos y tiró hasta que grité de dolor.

»—Tiene lágrimas en los ojos —dijo al soltarme—. Veo que todo es lo que ha de ser. Pero hemos de andar con cuidado, porque por dos veces nos han engañado con pelucas y otra con tintes. Podría contarle anécdotas de estar por casa que le asquearían a usted respecto a la naturaleza humana.

»Tras esto se dirigió a la ventana, a través de la cual dijo a voz en grito que la vacante había sido ocupada. Desde abajo llegó un gemido de desilusión, y todo el mundo se marchó atropelladamente en diversas direcciones, hasta que no quedaron más cabezas pelirrojas que la mía y la del gerente.

»—Mi nombre —dijo éste— es Duncan Ross y yo mismo soy uno de los pensionistas de la fundación dejada por nuestro noble benefactor. ¿Está usted casado, señor Wilson? ¿Tiene usted familia?

»Contesté que no.

»Se inmutó al acto.

»—¡Dios! —dijo con gravedad—. Esto constituye en realidad un inconveniente muy serio. Lamento que me lo haya dicho. La fundación fue creada, naturalmente, para la propagación y la multiplicación de los pelirrojos tanto como para su conservación. Que usted sea soltero es una gran desgracia.

»También mi cara se inmutó al oír aquello, señor Holmes, porque pensé que, después de todo, iba a quedarme sin la vacante. Pero, tras pensarlo unos pocos minutos, dijo que no importaba:

»—En otro caso, la objeción sería fatal; pero haremos una excepción en honor de un hombre con una cabeza con una cabellera como la suya. ¿Cuándo podrá hacerse cargo de sus nuevas obligaciones?

»—Pues hay un pequeño inconveniente, porque yo ya poseo un negocio propio —dije.

»—¡Oh, no se preocupe por eso, señor Wilson! —dijo Vincent Spaulding—. Yo puedo cuidarme de su negocio por usted.

»—¿Cuál sería el horario? —pregunté.

»—De diez a dos.

»Pues bien, señor Holmes, las casas de préstamos trabajan sobre todo a última hora de la tarde, en especial los jueves y los viernes a última hora, porque son precisamente las vísperas de pago. Me venía, pues, muy bien ganar un poco de dinero por las mañanas. Además, yo sabía que mi ayudante era un buen hombre y que se haría cargo de todo lo que surgiera.

»—Ese horario me conviene —dije—. ¿Y el sueldo?

»—Son cuatro libras a la semana.

»—¿Y el trabajo?

»—Es puramente nominal.

»—¿A qué le llama usted puramente nominal?

»—Pues tiene usted que permanecer en la oficina, o cuando menos en el edificio, todo el tiempo. Si sale, pierde para siempre todas sus ventajas. El testamento es muy claro respecto a este extremo. Si, durante esas horas, se ausenta de la oficina, no cumple usted con las condiciones.

»—Sólo son cuatro horas al día y no pienso ausentarme —dije yo.

»—No hay excusa que valga —dijo el señor Duncan Ross—, ni enfermedad, ni negocios, ni ninguna otra. Tiene usted que estar aquí o perderá el puesto.

»—¿Y el trabajo?

»—Consiste en copiar la *Enciclopedia Británica*. El primer volumen está en ese estante. Tendrá usted que procurarse su propia tinta, sus plumas y su papel secante, pero nosotros le proporcionaremos esta mesa y esta silla. ¿Podrá empezar mañana?

»—Desde luego —respondí.

»—Entonces, adiós, señor Jabez Wilson, y permítame que le felicite una vez más por la importante colocación que ha tenido usted la suerte de ganarse.

»Se despidió de mí fuera de la habitación y yo volví a casa con mi ayudante, sin apenas saber qué decir o hacer, tan contento estaba de mi propia suerte.

»Pensé en el asunto durante todo el día y por la noche me encontraba abatido; porque estaba persuadido de que todo el asunto encerraba una broma formidable o un fraude, aunque yo no lograra imaginar cuál era. Resultaba increíble que alguien pudiera hacer semejante testamento, o pagar una suma semejante por algo tan simple como copiar la *Enciclopedia Británica*. Vincent Spaulding hizo cuanto pudo para animarme, pero, a la hora de acostarme, yo había renunciado a todo el asunto. No obstante, por la mañana decidí echar un vistazo de todos modos y, así, compré un frasco de tinta de a un penique y, con mi plumín y siete hojas de papel tamaño folio, partí hacia Pope's Court.

»Bueno, para sorpresa y satisfacción mías, todo estaba en orden. La mesa dispuesta y el señor Duncan Ross allí para ver si yo me ponía puntualmente a trabajar. Me indicó que empezara por la letra A, y luego se fue. Pero de cuando en cuando se dejaba caer por la oficina para ver si yo seguía allí. A las dos en punto me dijo adiós, felicitándome por la cantidad que había escrito, y cerró tras de mí la puerta de la oficina.

»Pasaron así un día y otro día, señor Holmes, y el sábado el gerente vino a verme y me entregó cuatro soberanos de oro por mi trabajo de la semana. Y lo mismo ocurrió a la semana siguiente, y también a la otra. Todas las mañanas estaba yo allí a las diez y me iba a las dos de la tarde. Poco a poco, el señor Duncan Ross comenzó a acudir una sola vez en toda la mañana, y luego, tras un tiempo, no apareció en absoluto. Pese a eso, yo, como es natural, nunca me atreví a abandonar la oficina ni por un instante, porque no estaba seguro de que él no se presentara y la colocación era tan buena y me convenía tanto que no quería correr el riesgo de perderla.

»Pasaron ocho semanas como aquéllas, y yo escribí sobre Abades, Arco (tiro con) y Armaduras y Arquitectura y Atica, y esperaba llegar muy pronto, a base de diligencia, a la letra B. Me costó algún dinero en folios y ya tenía un estante lleno con mis escritos. Y entonces, de repente, todo se ha acabado.»

—¿Se ha acabado?

—Sí, señor. Y esta misma mañana. Como de costumbre he acudido a mi trabajo a las diez en punto, pero la puerta de la oficina estaba cerrada con llave y, en mitad de la hoja de la puerta, clavado con una tachuela, había un trozo de cartulina cuadrado.

Sacó un trozo de cartulina blanca, del tamaño aproximado de una cuartilla. Rezaba de este modo:

LA LIGA DE LOS PELIRROJOS HA SIDO DISUELTA
9 DE OCTUBRE DE 1890

Sherlock Holmes y yo examinamos aquel breve anuncio y la triste cara oculta tras él, hasta que el aspecto cómico del asunto se impuso de tal modo frente a cualquier otra consideración que ambos soltamos una gran carcajada.

—No veo que tenga ninguna gracia —exclamó nuestro cliente, sonrojándose hasta la raíz de sus rojizos cabellos—. Si lo único que ustedes pueden hacer por mí es reírse, me iré a otro sitio.

—No, no —exclamó Holmes, empujándolo hacia la silla de la que casi se había levantado—. En realidad, no me perdería su caso por nada del mundo. Es mucho más estimulante de lo común. Pero, discúlpeme usted por lo que voy a decirle, hay en él algo divertido. Veamos, ¿qué ha hecho usted al encontrar el cartel en la puerta?

—He quedado consternado, señor, y sin saber qué hacer. Luego he llamado a las oficinas vecinas, pero nadie parecía saber nada. Finalmente, me he dirigido al propietario del edificio, que es contable y vive en la planta baja, y le he preguntado si podía decirme qué había sido de la Liga de los Pelirrojos. Me ha dicho que jamás había oído hablar de semejante sociedad. Entonces yo le he preguntado quién era el señor Duncan Ross. Ha respondido que ese nombre era nuevo para él.

»—Es —le he dicho— el caballero de la oficina n.º 4.

»—¿Quién? ¿El caballero pelirrojo?

»—Sí.

»—¡Oh, se llama William Morris! Es procurador y me alquiló la oficina temporalmente, hasta que su nuevo local estuviera a punto. Se mudó ayer tarde.

»—¿Dónde podría encontrarle?

»—¡Oh, en sus nuevas oficinas! Me dio la dirección. Sí, King Edward Street, 17, cerca de St. Paul.

»Me he dirigido hacia allí, señor Holmes, pero, al llegar a esa dirección, me he encontrado con una manufactura de rótulas artificiales y allí nadie había oído hablar ni del señor William Morris ni del señor Duncan Ross.

—¿Y qué ha hecho usted desde entonces? —preguntó Holmes.

—Irme a mi casa, en Saxe-Coburg Square, y consultar con mi ayudante. Pero éste no ha encontrado modo de ayudarme. Sólo me ha dicho que, si yo esperaba, tendría noticias por correo. Pero eso no me ha parecido suficiente, señor Holmes. Yo no quería perder un empleo semejante sin luchar, por lo que, habiendo oído decir que usted llevaba su bondad hasta el extremo de dar consejo a la gente pobre que lo necesita, me he venido directo a verle.

—Y ha hecho muy sabiamente —dijo Holmes—. Su caso es notable en extremo, y me sentiré dichoso analizándolo. De lo que usted me ha contado, deduzco que es posible que de él dependan cosas mucho más graves de las que a primera vista parece.

—¡Y tan graves! —dijo el señor Jabez Wilson—. ¡Yo he perdido ya cuatro libras semanales!

—Por lo que a usted personalmente se refiere —observó Holmes—, no veo que tenga ningún motivo de queja contra esa extraordinaria Liga. Al contrario, tal como yo lo veo, usted se ha enriquecido con unas treinta libras, por no hablar de los minuciosos conocimientos que ha adquirido sobre cada uno de los temas que empiezan con la letra A. Usted no ha perdido nada por culpa de la Liga.

—No, señor. Pero deseo informarme sobre ellos, y sobre quiénes son, y qué se proponían haciéndome esta trastada, si sólo es una trastada, a mí. Ha sido una bonita broma, y cara, porque les ha costado treinta y dos libras.

—Procuraremos poner todo esto en claro. Pero, antes, una o dos preguntas, señor Wilson. Ese empleado suyo, que fue el primero en llamar su atención sobre el anuncio... ¿cuánto tiempo llevaba con usted?

—Entonces, alrededor de un mes.

—¿Cómo se presentó?

—En respuesta a un anuncio.

—¿Fue el único solicitante?

—No, recibí a una docena.

—¿Por qué le escogió a él?

—Porque era hábil y barato.

—A mitad de precio, en realidad.

—Sí.

—¿Cómo es ese tal Vincent Spaulding?

—Pequeño, robusto, rápido, imberbe, aunque ronda los treinta. En la frente tiene una mancha blanca, como de ácido.

Holmes se levantó de su asiento considerablemente excitado.

—Lo suponía —dijo—. ¿No se ha fijado usted en si tiene las orejas agujereadas como para llevar aretes?

—Sí, señor. Me dijo que se las había agujereado una gitana cuando él era un chiquillo.

—¡Hum! —dijo Holmes, sumiéndose en profundos pensamientos—. ¿Todavía está con usted?

—Oh, sí, señor. Acabo de dejarle.

—¿Y se ha hecho cargo del negocio en su ausencia?

—No tengo de qué quejarme, señor. Nunca hay mucho que hacer por las mañanas.

—Vamos a hacer lo siguiente, señor Wilson. En el plazo de uno o dos días, tendré la gran satisfacción de darle mi opinión. Hoy es sábado, y espero haber llegado a una conclusión el lunes.

—Bien, Watson —dijo Holmes, cuando nuestro visitante nos hubo dejado—, ¿qué saca usted de todo esto?

—Nada —respondí, francamente—. Es de lo más misterioso.

—Por lo general, cuanto más extraño es un caso, menos misterioso resulta ser. Los crímenes vulgares, adocenados, ésos son los auténticamente misteriosos, del mismo modo que los rostros vulgares son los más difíciles de identificar. Pero en este asunto he de obrar con rapidez.

—¿Qué va usted a hacer, entonces?

—Fumar —respondió él—. Es un problema de casi tres pipas, y le suplico a usted que no me hable durante cincuenta minutos.

Se hizo un ovillo en su sillón, con las delgadas rodillas tocando su nariz aguileña, y así se estuvo, con los ojos cerrados y su oscura pipa de arcilla que recordaba el pico de un extraño pájaro. Habiendo llegado a la conclusión de que se había dormido, también yo daba cabezadas cuando, de repente, saltó de su asiento con el ademán del hombre que ha tomado una decisión, y dejó su pipa en la repisa de la chimenea.

—Sarasate toca esta tarde en el St. James Hall —observó—. ¿Qué opina usted, Watson? ¿Podrán sus pacientes pasarse unas horas sin usted?

—Hoy no tengo nada que hacer. Mi clientela no me absorbe mucho.

—Entonces, póngase el sombrero y venga. Primero iremos a la City, y podemos comer algo por el camino. Observo que el programa incluye una buena dosis de música alemana, la cual es mucho más de mi agrado que la italiana o la francesa. Es introspectiva, y yo necesito introspección. ¡Vamos!

Viajamos en metro hasta Aldersgate, y un corto paseo nos condujo a Saxe-Coburg Square, escenario de la singular historia que habíamos oído por la mañana. Era una placita estrecha, pequeña, donde cuatro alineaciones de deslucidas casas de dos pisos y de ladrillo miraban hacia un pequeño cercado con verja, en cuyo interior un poco de césped raquítico y unos pocos arbustos de laurel marchitos sostenían una dura lucha contra la desagradable atmósfera cargada de humo. En una casa que hacía esquina, tres bolas doradas y un rótulo con el nombre de JABEZ WILSON en letras blancas anunciaban el lugar donde nuestro pelirrojo cliente llevaba a cabo sus negocios.

Sherlock Holmes se detuvo frente a ella con la cabeza ladeada y la observó detenidamente con los ojos brillando entre los entornados párpados. Luego avanzó despacio por la calle, y después volvió de nuevo a la esquina, mirando aún hacia las casas. Finalmente, regresó a la del prestamista y, tras golpear vigorosamente el pavimento con su bastón dos o tres veces, se llegó a la puerta y llamó. Esta fue abierta al instante por un joven de aspecto despabilado, bien afeitado, que le invitó a pasar.

—Gracias —dijo Holmes—. Sólo quería preguntarle cómo se va desde aquí al Strand.

—Por la tercera a la derecha y la cuarta a la izquierda —respondió el empleado con presteza, y cerró la puerta.

—Un muchacho listo éste —observó Holmes mientras nos alejábamos—. En mi opinión es el número cuatro en listeza de todo Londres y en cuanto a audacia no juraría yo que no sea el tercero. Ya tenía noticias suyas.

—El empleado del señor Wilson —dije yo— tiene mucho que ver evidentemente con este misterio de la Liga de los Pelirrojos. Estoy seguro de que usted le preguntó el camino para poderle ver.

—No a él.

—¿Qué, entonces?

—Las rodilleras de sus pantalones.

—¿Qué ha visto usted?

Un corto paseo nos condujo a Saxe-Coburg Square.

—Lo que esperaba ver.

—¿Por qué ha golpeado el pavimento?

—Mi querido doctor, ahora es cuestión de observar, no de hablar. Somos espías en tierra enemiga. Algo sabemos de Saxe-Coburg Square. Exploremos ahora los senderos que quedan detrás.

La calle en que nos encontramos cuando torcimos la esquina de la apartada Saxe-Coburg Square ofrecía, respecto a ésta, el mismo contraste que la parte pintada de un cuadro con la parte de atrás del mismo. Era una de las principales arterias que conducen el tráfico de la City hacia el norte y el oeste. La calzada se hallaba bloqueada por la intensa corriente del tráfico comercial que fluía, en una doble marea, hacia dentro y hacia afuera, en tanto que las aceras se veían oscurecidas por el apresurado enjambre de los viandantes. Mirando la sucesión de bellas tiendas y de magníficos negocios resultaba difícil darse cuenta de que el otro extremo desembocaba en la marchita plaza que justamente acabábamos de abandonar.

—Déjeme ver —dijo Holmes, situándose en la esquina y observando la hilera de edificios—. Me gustaría recordar el orden exacto de estas casas. Tengo la manía de conocer Londres con toda exactitud. Está el Mortimer's, el despacho de tabacos, la tiendecita de periódicos, la sucursal de Coburg del City and Suburban Bank, el Restaurante Vegetariano y la cochera del constructor de carruajes McFarlane. Lo que nos lleva a la otra manzana. Y ahora, doctor, ya hemos concluido con nuestro trabajo y es hora de que nos dediquemos al ocio. Un sandwich y una taza de café, y luego a los dominios del violín, donde todo es dulzura y delicadeza y armonía, y donde no hay clientes pelirrojos que nos den la lata con sus acertijos.

Mi amigo era un músico entusiasta, siendo él mismo, no sólo un ejecutante muy capacitado, sino también un compositor de mérito nada común. Toda la tarde permaneció sentado en su butaca, sumido en la más completa felicidad, moviendo suavemente sus largos y delgados dedos al compás de la música, mientras su rostro dulcemente sonriente y su lánguida, soñadora mirada eran tan diferentes de los de Holmes el sabueso, Holmes el implacable, pertinaz y ágil perseguidor de criminales, como era posible imaginar. En su singular carácter alternaba una doble naturaleza que se afirmaba en sí misma y, como yo había pensado con frecuencia, sus extremadas exactitud y astucia representaban una reacción contra la actitud poética y contemplativa que en ocasiones predominaban en él. Esa oscilación de su naturaleza le llevaba de la extrema languidez a la energía devoradora; y, como yo bien sabía, nunca resultaba tan verdaderamente formidable como cuando, durante días, había estado ganduleando en su sillón entre sus improvisaciones y sus libros de letra gótica. Entonces era cuando, de repente, le acometía el anhelo de la caza y cuando su deslumbrante y poderoso razonamiento se alzaba a los niveles de la intuición, hasta el extremo de que quienes no estaban familiarizados con sus métodos le miraran con recelo, como a un hombre cuyos conocimientos no eran los del resto de los mortales. Cuando aquella tarde en St. Jame's Hall le vi tan entregado a la música sentí que para aquellos sobre cuya pista se había puesto se avecinaban malos momentos.

—Usted, doctor, sin duda querrá volver a su casa —observó cuando salíamos.

—Sí, no estaría mal.

—Y yo tengo que hacer algunas cosas que me llevarán horas. El asunto de Coburg Square es serio.

—¿Por qué serio?

—Se está tramando un importante delito. Tengo razones para creer que aún estamos a tiempo de impedirlo. Pero el que hoy sea sábado complica bastante el asunto. Esta noche le necesitaré.

—¿A qué hora?

—A las diez será suficiente.

—Estaré en Baker Street a las diez.

—Muy bien. Y, ¡oiga, doctor!, como podría haber cierto peligro, tenga la bondad de meterse en el bolsillo su revólver.

Agitó la mano, giró sobre sus talones y desapareció entre la multitud.

Yo no creo ser más duro de mollera que mis congéneres, pero en mi trato con Sherlock Holmes siempre me sentía víctima de la sensación de mi propia estupidez. Hasta ahora yo había oído lo mismo que él había oído, había visto lo mismo que él había visto y, sin embargo, de sus palabras se desprendía la evidencia de que él veía con claridad no sólo lo que había sucedido, sino también lo que iba a suceder, en tanto que para mí todo el asunto seguía siendo confuso y grotesco. Mientras me dirigía a mi casa en Kensington pensé en todo esto, desde la extraordinaria historia del pelirrojo copista de la *Enciclopedia* hasta la visita a la Saxe-Coburg Square y las siniestras palabras con que Holmes se había despedido de mí. ¿Qué expedición nocturna era aquélla y por qué tenía yo que ir armado? ¿Adónde íbamos a ir y qué tendríamos que hacer? Holmes me había advertido que el barbilampiño empleado del prestamista era un tipo de cuidado, un individuo que podía jugar duro. Procuré deshacer el enigma, pero lo dejé con desaliento, dando al asunto de lado hasta que la noche me trajera una explicación.

Eran las nueve y cuarto cuando salí de casa y emprendí mi camino a través del parque y luego, por Oxford Street, hasta Baker Street. Ante la puerta había dos cabriolés y, al penetrar en el vestíbulo, oí voces que venían de arriba. Cuando entré en sus habitaciones, encontré a Holmes en animada conversación con dos hombres, en uno de los cuales reconocí a Peter Jones, el oficial de policía; en tanto que el otro era un hombre alto, delgado, de cara triste, con un sombrero lustrosísimo y una levita abrumadoramente respetable.

—¡Ah, nuestra expedición está completa! —dijo Holmes, abotonándose hasta arriba su chaquetón de marinero y cogiendo del perchero su pesado látigo de caza—. Watson, ¿creo que ya conoce usted al señor Jones, de Scotland Yard? Permítame que le presente al señor Merryweather, que esta noche será nuestro compañero de aventuras.

—De nuevo salimos de caza por parejas, doctor, como puede usted ver —dijo Jones con sus aires de importancia—. Aquí nuestro amigo es un hombre formidable para organizar una cacería. Todo lo que necesita es un perro viejo que localice la presa.

—Espero que al final de nuestra cacería no resulte que hemos perseguido un fantasma —observó el señor Merryweather, lúgubremente.

—Puede usted confiar absolutamente en el señor Sherlock Holmes, señor —dijo el agente de policía, con arrogancia—. Tiene sus propios y pequeños métodos que, si a él no le molesta que lo diga, son un punto teóricos y fantásticos de más, pero lleva en sí a todo un detective. No es excesivo decir que una o dos veces, como en el asunto de Sholto y del tesoro de Agra, anduvo más cerca de la verdad que las fuerzas oficiales.

—¡Ah, señor Jones, si usted habla así, todo está bien! —dijo el forastero con deferencia—. Con todo, confieso que echo de menos mi partida de bridge. En treinta y siete años, es el primer sábado por la noche que no juego al bridge.

—Creo que convendrá usted en que la partida que se juega esta noche es con mucho la más importante que haya jugado usted hasta ahora y que el juego resultará mucho más excitante —dijo Sherlock Holmes—. Para usted, señor Merryweather, la apuesta es de unas treinta mil libras; y para usted, Jones, el hombre al que ansía echarle el guante.

—John Clay, el asesino, ladrón, estafador y falsificador —dijo el agente—. Es un hombre joven, señor Merryweather, pero se halla a la cabeza de su profesión y yo preferiría ponerle a él mis esposas que a cualquier otro criminal de Londres. Es un tipo notorio el joven John Clay. Su abuelo, que era duque, pertenecía a la realeza, y él mismo estuvo en Eton y en Oxford. Su cerebro es tan rápido como sus manos, y aunque encontráramos huellas suyas en cada esquina nunca sabríamos dónde hallarlo. Esta semana forzará un castillo en Escocia y, a la siguiente, irá por Cornwall recolectando dinero para construir un orfanato. Hace años que le voy detrás y nunca he podido echarle la vista encima.

—Espero tener el placer de presentarlos esta noche —dijo Holmes—. También yo he tenido mis pequeños tropiezos con el señor John Clay, y estoy de acuerdo con usted en que figura a la cabeza de su profesión. Pero son más de la diez, y ya es hora de que nos pongamos en marcha. Si ustedes dos toman el primer cabriolé, Watson y yo les seguiremos en el segundo.

Sherlock Holmes no se mostró muy comunicativo durante el largo trayecto y permaneció recostado en el coche tarareando las melodías que había oído aquella tarde. Dimos tumbos por un laberinto sin fin de calles alumbradas con gas, hasta que desembocamos en Farringdon Street.

—Ya estamos cerca —observó mi amigo—. El amigo Merryweather es director de banco y está personalmente interesado en el asunto. También he juzgado oportuno que Jones nos acompañara. No es un mal tipo, aunque profesionalmente resulte un perfecto imbécil. Tiene una virtud positiva. Es valiente como un bulldog y tan tenaz como una langosta cuando cierra sus defensas sobre alguien. Ya hemos llegado y ellos nos están esperando.

Habíamos alcanzado la misma populosa calle en que nos viéramos aquella mañana. Despedimos nuestros coches y, siguiendo las indicaciones del señor Merryweather, nos metimos por un estrecho pasaje y por una puerta lateral, que él abrió para nosotros. Dentro hallamos un pequeño corredor que concluía ante una más que maciza puerta de acero. También ésta fue abierta: conducía a una escalera de caracol de peldaños de piedra, la cual terminaba ante otra puerta formidable. El señor Merryweather se detuvo para encender una linterna, y luego nos condujo por un corredor oscuro, que olía a tierra, y, tras abrir otra puerta, al interior de una amplia bóveda o sótano en torno al cual se amontonaban cajones de embalar y cajas macizas.

—Desde arriba no resulta esto muy vulnerable —observó Holmes, mientras alzaba la linterna y observaba a su alrededor.

—Ni desde abajo —dijo el señor Merryweather, golpeando su bastón contra las losas que cubrían el suelo—. Dios mío, ¿por qué suena a hueco? —observó, alzando sorprendido la mirada.

—En realidad, he de suplicarle a usted que permanezca un poco más tranquilo —dijo Holmes con severidad—. Va a poner en peligro el éxito todo de nuestra expedición. ¿Puedo pedirle que tenga la bondad de sentarse en uno de esos cajones y no intervenir en nada?

Con expresión ofendida, el señor Merryweather se encaramó en uno de los cajones de embalar, mientras Holmes se echaba de rodillas contra el suelo y, con la linterna y una lupa, comenzaba a examinar minuciosamente las rendijas de entre las losas. Pocos segundos bastaron para satisfacerle, porque se puso de nuevo en pie de un salto y se guardó la lupa en el bolsillo.

—Tenemos por lo menos una hora por delante —observó—, porque difícilmente pueden dar un solo paso hasta que el bueno del prestamista esté a salvo en su cama. Entonces no perderán un minuto, pues cuanto antes acaben su trabajo más largo será el tiempo de que dispongan para su fuga. Ahora, doctor, nos encontramos, como no dudo que habrá usted adivinado, en el sótano de la sucursal que en la City tiene uno de los principales bancos de Londres. El señor Merryweather es el presidente del consejo de administración y él expondrá las razones que existen para que los más audaces criminales de Londres se tomen hoy un considerable interés por este sótano.

—Es nuestro oro francés —susurró el presidente—. Hemos recibido varios avisos de que podrían atentar contra él.

—¿Su oro francés?

—Sí. Hace unos meses tuvimos la oportunidad de ampliar nuestros recursos y, a ese propósito, hicimos un empréstito de treinta mil napoleones al Banco de Francia. Se ha sabido que no hemos tenido la oportunidad de desembalar ese dinero y que todavía está depositado en nuestro sótano. El cajón sobre el que estoy sentado contiene dos mil napoleones embalados entre capas de planchas de plomo. Nuestras reservas de oro son en estos momentos mucho mayores de lo que es usual en una sola sucursal y el consejo de administración albergaba sus temores al respecto.

—Más que justificados —observó Holmes—. Y ahora ha llegado el momento de que tracemos nuestro pequeño plan. Espero que dentro de una hora las cosas hayan tocado a su fin. Mientras tanto, señor Merryweather, habrá que colocar la pantalla de esta linterna sorda.

—¿Y permanecer a oscuras?

—Me temo que sí. En el bolsillo traía una baraja, pues, ya que éramos una *partie carrée*, creía que, después de todo, podría usted disfrutar de su partida de bridge. Pero observo que los preparativos del enemigo se hallan tan avanzados que no podemos arriesgarnos a tener encendida una luz. Y, ante todo, debemos tomar nuestras posiciones. Son tipos audaces y, aunque los pillaremos en desventaja, podrían causarnos daño, a menos que no llevemos cuidado. Yo me situaré detrás de este cajón y ustedes escóndanse detrás de aquéllos. Y así que yo los enfoque, rodéenlos enseguida. Si ellos hacen fuego, Watson, no tenga usted remordimientos en abatirlos a tiros.

Coloqué mi revólver, con el gatillo armado, sobre el cajón de madera tras el que yo estaba agazapado. Holmes deslizó la pantalla corredera ante la luz de su linterna y nos sumió en la oscuridad, en una oscuridad tan absoluta como yo jamás había soportado antes. El olor a metal caliente seguía presente, para asegurarnos que la luz estaba allí, a punto para resplandecer en el momento oportuno. En aquella repentina oscuridad y en el frío y húmedo aire del sótano había para mí, con los nervios tensos por la más viva expectación, algo deprimente y avasallador.

—Sólo tienen una escapatoria —susurró Holmes—. Retroceder hasta la casa de Saxe-Coburg Square. Espero, Jones, que haya hecho usted lo que le pedí.

—Tengo a un inspector y a dos agentes esperando ante la puerta principal.

—Si es así, les hemos tapado todos los agujeros. Y ahora debemos permanecer en silencio y esperar.

¡Qué largo se nos hizo! Más adelante, comparando notas, sólo aguardamos una hora y cuarto, si bien a mí me pareció que había transcurrido la noche y que el alba rompía sobre nuestras cabezas. Tenía los miembros entumecidos y cansados, pues temía cambiar de posición; la tensión de mis nervios había llegado a su punto límite y mi oído se había agudizado tanto que no sólo podía percibir la leve respiración de mis compañeros, sino que además podía distinguir las profundas y poderosas inspiraciones del voluminoso Jones de la débil nota de los suspiros del director del banco. Desde mi posición podía ver, por encima del cajón, el suelo. De pronto mis ojos percibieron un destello de luz.

Al principio no fue sino una fugaz chispa sobre las losas del pavimento. Luego se alargó hasta convertirse en una raya amarilla y entonces, sin previo aviso o ruido, pareció abrirse una grieta y apareció una mano, una mano blanca, casi femenina, que palpó a su alrededor en el centro de la pequeña área iluminada. Durante un minuto o más, la mano, con sus inquietos dedos, se mantuvo fuera del suelo. Después desapareció tan súbitamente como había aparecido, y todo volvió a ser oscuridad excepto la solitaria y leve chispa que indicaba una grieta entre las piedras.

Su desaparición no fue, sin embargo, sino momentánea. Con un ruido chirriante, desgarrador, una de las anchas y blancas losas giró sobre uno de sus lados y dejó un hueco cuadrado a través del cual surgió la luz de una linterna. Sobre el borde apareció una cara barbilampiña, infantil, que miró con atención a su alrededor y que, luego, con una mano en cada lado de la abertura, se alzó hasta asomar primero los hombros y la cintura e impulsarse después hasta colocar una rodilla en el borde.

En un instante estuvo de pie al lado del agujero y ayudando a subir a un compañero ágil y pequeño como él mismo, con una cara pálida y una mata de pelo rojísimo.

—Vía libre —susurró—. ¿Tienes el escoplo y las talegas? ¡Gran Dios! ¡Salta, Archie, salta! ¡Yo le plantaré cara!

Sherlock Holmes había saltado y cogido al intruso por el cuello de la ropa. El otro se zambulló por el agujero y pude oír cómo se le rasgaba la ropa cuando Jones lo agarraba por los faldones. La luz brilló sobre el cañón de un revólver, pero el látigo de Holmes se ciñó a la muñeca del individuo y el arma fue a chocar contra las piedras del suelo.

—¡Es inútil, John Clay! —dijo Holmes, suavemente—. No tiene usted la menor posibilidad.

—Eso veo —respondió el otro con la mayor frialdad—. Imagino que mi compinche está a salvo, aunque por lo que veo, se han quedado ustedes con los faldones de su levita.

—Hay tres hombres esperándole en la puerta —dijo Holmes.

—¡Oh!, ¿de verdad? Parece que no se le ha escapado a usted nada. Le felicito.

—Y yo a usted —respondió Holmes—. Su idea de los pelirrojos ha resultado muy nueva y efectiva.

—Enseguida verá usted a su compinche —dijo Jones—. Es más rápido que yo huyendo por agujeros. Tienda usted las manos mientras le pongo las esposas.

—Le ruego que no me toque con sus sucias manos —observó nuestro prisionero, cuando las esposas produjeron un chasquido en torno a sus muñecas—. No debe usted olvidar que llevo sangre azul en mis venas. Cuando se dirija a mí, tenga la bondad de decir siempre «señor» y «por favor».

—Muy bien —dijo Jones con la mirada fija y una sonrisita—. Bien, señor, suba, por favor, escaleras arriba y encontraremos un coche que conducirá a su alteza a la comisaría de policía.

—Eso está mejor —dijo John Clay, serenamente.

Nos hizo una solemne reverencia a los tres y salió tranquilo custodiado por el detective.

—Realmente, señor Holmes —dijo el señor Merryweather, mientras salíamos del sótano tras ellos—, no sé cómo el banco podrá agradecérselo o recompensarle. No hay duda de que ha descubierto usted y hecho fracasar del modo más absoluto uno de los intentos de robo más audaces de los que he tenido conocimiento.

—Tenía un par de cuentas pendientes con el señor John Clay —dijo Holmes—. He realizado algunos pequeños gastos en este asunto, que

—¡Es inútil, John Clay!

espero que el banco me reembolsará, pero aparte de esto me siento plenamente satisfecho por haber pasado por una experiencia que en muchos aspectos es única, y por haberme enterado de la muy curiosa narración de la Liga de los Pelirrojos.

—Comprenda usted, Watson —me explicó Holmes a primeras horas de la madrugada, ya sentados ante sendos vasos de whisky con soda, en Baker Street—, que desde el principio resultaba perfectamente evidente que el único posible objetivo del asunto más bien fantástico del anuncio de la Liga y de copiar la *Enciclopedia* era el de quitar de en medio durante un número de horas cada día al no muy brillante prestamista. Era un extraño método de conseguirlo, pero en realidad resultaría difícil inventar otro mejor. El método le fue sin duda sugerido al ingenioso cerebro de Clay por el color del pelo de su cómplice. Las cuatro libras semanales eran el señuelo que tenía que atraerlo y ¿qué eran para ellos cuatro libras cuando estaban en juego miles? Pusieron el anuncio; uno de los pillastres consigue, temporalmente, la oficina, el otro pillastre incita al hombre a solicitar el puesto y juntos se las arreglan para garantizar su ausencia todas las mañanas de la semana. Desde el momento en que oí que el ayudante trabajaba por la mitad del sueldo, se me hizo obvio que tenía algún motivo importante para querer el empleo.

—Pero ¿cómo llegó usted a adivinar cuál era el motivo?

—De haber habido mujeres en la casa, yo hubiera pensado en un simple y vulgar amorío. Eso, sin embargo, estaba fuera de la cuestión. El del prestamista era un negocio pequeño, y en la casa no había nada que pudiera justificar una preparación tan complicada y unos gastos como los que estaban haciendo. Tenía que ser por algo de fuera de la casa. ¿Qué podría ser? Me acordé de la afición del ayudante por la fotografía y de su ardid de desaparecer en el sótano. ¡El sótano! Allí estaba el final de aquella enmarañada trama. Entonces hice averiguaciones respecto a su misterioso empleado y me encontré con que tenía que hacer frente a uno de los criminales más fríos y más astutos de Londres. Este estaba haciendo algo en el sótano, algo que le llevaría varias horas al día durante meses. Una vez más: ¿qué podría ser? No cabía imaginar sino que estaba abriendo un túnel hacia algún otro edificio.

»Hasta ahí había yo llegado cuando fuimos a visitar el lugar de la acción. Le asombré a usted golpeando con mi bastón el pavimento. Estaba averiguando hacia dónde se orientaba el sótano, si hacia delante o hacia atrás. No era hacia delante. Entonces hice sonar la campanilla y, como esperaba, el empleado salió a abrir. Nosotros habíamos sostenido algunas escaramuzas, pero nunca nos habíamos echado la vista encima el uno al otro. Apenas le miré a la cara. Lo que yo deseaba era ver sus rodilleras. Usted mismo pudo observar lo rozadas, arrugadas y sucias que estaban. Pregonaban las horas de excavación. El único punto que faltaba era saber hacia dónde cavaban. Di la vuelta a la esquina, vi que el City and Suburban Bank confinaba con el local de nuestro amigo y supe que había resuelto el problema. Cuando, después del concierto, usted se dirigió a su casa, yo llamé a Scotland Yard y al presidente del consejo de administración del banco, con el resultado que usted ha visto.

—¿Y cómo pudo asegurar que lo intentarían esta noche? —pregunté.

—El que hubieran cerrado las oficinas de la Liga era señal de que ya no tenían que seguir preocupándose por la presencia del señor Jabez Wilson; en otras palabras, de que habían terminado el túnel. Pero era esencial que lo usaran pronto, pues o podía ser descubierto o los lingotes de oro trasladados a otro lugar. El sábado les iba mejor que cualquier otro día, pues les proporcionaba dos días para huir. Por todas estas razones, yo esperaba que vinieran esta noche.

—Lo ha resuelto usted magníficamente —exclamé con sincera admiración—. Es una cadena muy larga, pero aún así todos sus eslabones suenan a auténticos.

—Me ha librado del aburrimiento —respondió, bostezando—. ¡Ay, noto que por desgracia se apodera de mí otra vez! Mi vida se consume en grandes esfuerzos para escapar de la vulgaridad de la existencia. Estos problemitas me ayudan a conseguirlo.

—Y es usted un benefactor de la especie humana —dije yo.

El se encogió de hombros.

—Bueno, quizás todo esto sea de alguna utilidad —observó—. *L'home c'est rien, l'oeuvre c'est tout*, como le escribió Gustave Flaubert a George Sand.

Indice

Este libro se acabó de imprimir
en noviembre de 1993
por Libergraf, S.L.,
Constitució, 19
08014 Barcelona

Colección Grandes Autores Bolsillo

1. *El polizón del «Ulises»*, Ana María Matute.
2. *El fantasma de Canterville*, Oscar Wilde.
3. *Color de Fuego*, Carmen Kurtz.
4. *Cuentos judíos de la aldea de Chelm*, Isaac Bashevis Singer.
5. *El Castillo de las Tres Murallas*, Carmen Martín Gaite.
6. *El rey y el país con granos*, Medardo Fraile.
7. *Herne el cazador*, Anónimo.
8. *El gran libro de la estepa*, René Guillot.
9. *Tres aventuras de Sherlock Holmes*, Conan Doyle.
10. *El saltamontes verde y otros cuentos*, Ana María Matute.